崇高のリミナリティ

［カバー写真］
池田亮司《spectra》
Photo Credit: Mona/Jacob Collings
Image Courtesy MONA Museum of Old and New Art,
Hobart, Tasmania, Australia

崇高のリミナリティ

星野太＝著

Sublime Liminality
Futoshi Hoshino

フィルムアート社

à Michel Deguy (1930–2022)

[目次]

はじめに

本書は「崇高」という美学の一大テーマをめぐる対談集である。

崇高〔英：sublime／独：erhaben／仏：sublime〕――おそらく、ほとんどの読者にとっては耳馴染みがないと思われるこの言葉は、とりわけ「美」や「芸術」をめぐる西洋の思想において、長らく重要な地位におかれてきた。そうした美や芸術をめぐる思想は、一八世紀後半から今日にいたるまで、伝統的に「美学（aesthetics）」という名称で呼ばれてきたものである。本書の目的は、そうした美学の問題圏において、なおかつ言語、倫理、政治の諸問題にも目をむけながら、この「崇高」という概念が今日においていかなる意義を担いうるのかを示すことにある。

本書の意図は、「崇高とは何か」という問いへの答えを、いわゆる通史的なかたちで示すことにはない。本書はこの概念の使用法に徹する。つまり、およそ二〇〇〇年あまりにおよぶ概念の歴史を詳細にたどるのではなく、その主要な論点を洗い出し、それを学ぶことが今日においていかなる意味をもちうるのかを、なるべく幅広い視野のもとで示すことに専念する。「崇高」の一般的定義や歴史的変遷、さらにより細かなトピックについて知るための文献は、本書を読んでいけばおのずと明らかになるだろう。

本書は序論、五つの対談、五〇冊のブックガイドからなる。

序論では、のちの対談への導きとして、あらかじめ「崇高」概念の主要なマトリックスを提示する。そのために前半ではまず、そもそもこの概念が西洋の思想史においていかなる意義を担ってきたのかを、カントをはじめとする過去の議論を参照しながら概説的に論じる。そのうえで後半では、二〇世紀末から今日までの「崇高」論の変貌をめぐって、いくつかの見通しを示すことになるだろう。ここでは本書の前提をなす美学・批評理論にも適宜ふれることになるため、諸々の基本から押さえたいという読者には、まずこの序論に目を通すことを勧めたい。

それに続く五つの対談は、いずれも拙著『崇高の修辞学』（月曜社、二〇一七年）をめぐって、二〇一七年から一八年のあいだに行なわれたものである。むろん各対談の内容は、同書の議論をただ敷衍するのではなく、むしろそれを異なる立場から拡張するものとなっている。あえてジャンルで分けるなら、それぞれの対談は①現代美術（池田剛介）、②美学（岡本源太）、③美術史（塩津青夏）、④現代詩（佐藤雄一）、⑤人文学（松浦寿輝）の諸問題をめぐってなされている。なおかつ、各対談の内容はかならずしも「崇高」という概念のみに収斂するものではなく、その外部へと開かれた発展的な議論を含んでいる。すでに「崇高」をめぐる思想についてひとかどの知識をもっている読者は、序論を経由せずにこの対談パートに進んでもらってもかまわない。

最後のブックガイドは、日本語以外のものも含め、今後このテーマについてさらなる探求を試みる読者への誘《いざな》いとして執筆した。ドイツ語やフランス語をはじめとする異言語の文献については、タイトルから少しでも内容が想像できるように、日本語による仮題も添えてある。選書は「崇高」についての理論書や研究書が中心だが、そこにアンソロジーや展覧会カタログなどを加えることで、なるべく現代の「崇高」論の広がりを伝えられるような五〇冊にした。

さきほど、本書は「崇高」という概念の「使用法」に徹する、と言った。それが意味するところは、ひとえに、本書がひとつの道具箱《ツールボックス》として構想されているということにほかならない。ここからの序論や対談、さらにはそれらに添えられた註や書誌が、読者にさまざまな思索のきっかけをもたらすことになれば幸いである。

序論　崇高のリミナリティ

本書を「崇高」をめぐる一〇の断章から始めよう。

これらの断章は、たんに過去の学説を紹介するためのものではない。これから行なうのは、「崇高」なる概念をひとつのプリズムとして、美学をはじめとする複数の領域をわたり歩くための準備作業である。この概念は、それを美学の一カテゴリーとして囲いこむのではなく、言語、倫理、政治をはじめとする複数の問題へと開いたときに、おそらくその最大のポテンシャルを発揮する。本書がめざすのもまた、崇高なるものを媒介とする、そうした境界領域《リミナリティ》の探求にほかならない。

1 ― 崇高――美学とその境界

通常、日本語における「崇高」という言葉は、時に自己犠牲をも厭わない、ある特殊な精神性を表すために用いられる。それが発せられる状況にもよるが、この言葉に含まれるニュアンスは、基本的にはポジティヴなものだろう。よく知られたところでは、日本国憲法の前文にある「崇高な理想」や「崇高な目的」といった表現が、おそらくその典型的なものである[1]。それ以外にも――たとえば大学や企業が掲げる「崇高な精神」や「崇高な理念」といった用法が示唆するように――この「崇高」なる言葉は、もっぱら人間の高尚な精神性を表していると言ってよい。

本来、ひろくわれわれの「感性」にかかわるはずの言葉が、日常的には「道徳」的なニュアンスのもとに用いられるということ――これは、いったいいかなる事情に起因しているのだろうか。もちろん、これはただ日本語にのみ言えることではなく、英語やそれ以外の言語でも、多かれ少なかれ似たような現象が見られる。ここには「崇高」という概念のもつ、複雑な性格の一端がかいま見えるだろう。この概念をはじめて哲学的に基礎づけた哲学者カント（一七二四－一八〇四）は、このような感性と道徳のもつれ合いを、すでに「崇高」を特徴づけるひとつの要素として示していた。

その論理は、美学最大の古典である『判断力批判』（一七九〇）において、おおむね次の

1―分量にして六五〇字ほどの日本国憲法の前文には、「崇高な」という形容表現が二回にわたって登場する。該当する文章は次の通り。（1）「日本国民は、恒久の平和を念願し、人間相互の関係を支配する**崇高な理想**を深く自覚するのであって、平和を愛する諸国民の公正と信義を信頼して、われらの安全と生存を保持しようと決意した」。（2）「日本国民は、国家の名誉にかけて、全力をあげて**崇高な理想と目的**を達成することを誓う」。

ようなしかたで論じられる。カントによれば、われわれに美的な「快」をもたらす対象は、大きく「美しいもの（das Schöne）」と「崇高なもの（das Erhabene）」とに二分される。このうち、前者の「美しいもの」によってもたらされるのは、われわれが一般的に想像するような、比較的シンプルな「快」である（ただし注意が必要だが、ここでいう「快」とは、いわゆる肉体的な快楽に還元されるものではない）。他方、後者の「崇高なもの」によってもたらされるのは、むしろ「快」と「不快」の混合――より厳密には、「ただ不快を媒介することによってのみ可能となるような快」――であるとカントはいう〔2〕。われわれは圧倒的な自然や人工物を前にするとき、その眺めからある種の「快」を感じとる。ただしそのさい、われわれはさまざまな制約により、そのすべてを一挙に把握することができない。よってそこには、対象を適切にとらえることができないことに起因するフラストレーション、つまり「不快」の感情がともなうのだ。

カントによる「崇高」概念のおもしろさは枚挙にいとまがないが、そのひとつが、この次に見られる「すり替え」の論理である。あらためて繰り返そう。①われわれは強大な自然や複雑な人工物を前にして、そこから一定の「快」を感じるとともに、その十全な把握の不可能性に起因する「不快」を感じとる。②この「快」と「不快」によって織りなされる複雑な経験が「崇高」の大きな特徴である。――ここまではよいだろう。だがそればかりではない。カントは、ここからもうひとつのステップを用意する。③今しがた見たようなプロセスにおいて、われわれはおのれの外にある具体的な対象を通じて崇高さを感じとる。④しかしその崇高な感情は、結果的に人間の内なる理性への尊敬へとすり替えられる。――そのように言うのだ。

カントの言い分は、わかりやすく言えばこうである。われわれは、自分のまわりにある自然や人工物のような「対象」こそが崇高なのだと考えるきらいがあるが、厳密にはそれは正しくない。むしろその場合の崇高さは、目の前の対象を通して崇高さを感じとる、われわれの「心」のうちにこそあるのだ〔3〕。そもそも「美」にしても「崇高」にしても、それが対象のもつ客観的特徴ではなく、あくまでわれわれの主観に帰されるものであると

2―「〔……〕かくして対象は、崇高なものとして、不快を媒介とすることによってのみ可能となる快をともなって受け入れられるのである（...und der Gegenstand wird als erhaben mit einer Lust aufgenommen, die nur vermittelst einer Unlust möglich ist）」（イマヌエル・カント『判断力批判』熊野純彦訳、作品社、二〇一五年、第二七節）。以下、邦訳書があるものについてはなるべく書誌を挙げるようにしたが、すべて原文を参照のうえ、訳文には断りなく修正を加えている。

いうのが、カント美学の基本的な前提をなしていた。この意味において、カントにおける「崇高」とは、厳密には対象のもつ性格ではなく、われわれという主体のうちにあらかじめ潜んでいるものである。そして人は、外なる対象を通じて、それ自体としては見ることも触れることもできない内なる「理性」への尊敬に目覚める——これこそ、カントの哲学体系から見た、美学と倫理学をつなぐ「崇高」の論理である。

2 自然における崇高

カントの「崇高」論には、のちほどまた立ち戻ることにしよう。次に見ておきたいのは、一八世紀のヨーロッパでこの「崇高」なる概念が発見されるにいたった、そもそもの経緯についてである。

もっぱら自然の風景を対象とする近代的な「崇高」概念は、意外にも大陸ヨーロッパではなく、イギリスにそのルーツをもっている。都市から離れた自然のうちに崇高さを見いだすその理論は、作家にして政治家であったジョゼフ・アディソン（一六七二—一七一九）をはじめとする「グランド・ツアー」の経験者たちによって確立された。まずはそのあたりの事情を見ておこう。

グランド・ツアー（Grand Tour）とは当時の富裕層の慣習のひとつであり、おもに学業を終えたばかりの貴族による国外旅行をいう（さながら今日の「卒業旅行」のようにも聞こえるが、その期間はグランド・ツアーのほうがはるかに長い）。かれらはこの旅を通じて、フランスやイタリアで見聞を深めるとともに、アルプスをはじめとするおそるべき規模の自然を目に焼きつけることになった。このグランド・ツアーには、貴族の子女ばかりでなく、その家庭教師をしていた文人・知識人たちもしばしば連れ添った。そうしてかれらは、当時すでに詩や文学の理論に一定の地位を占めていた「崇高」なる言葉を、眼前にそびえる雄大な自然へと投影しはじめたのである〔4〕。

このことは、まずもって次のことを意味する。すなわち、近代における「崇高」概念は、

3―「したがって、自然における崇高なものの感情は、みずからの使命に対する尊敬であり、われわれはこの尊敬を自然の何らかの客体について、ある種のすり替えを通して〔……〕示すことになる（Also ist das Gefühl des Erhabenen in der Natur Achtung für unsere eigene Bestimmung, die wir einem Objekte der Natur durch eine gewisse Subreption [...] beweisen)」（カント『判断力批判』前掲書、第二七節）。

人間のスケールを超えた「自然」の発見と分かちがたく結びついていた。一八世紀イギリスにおける「崇高」論は、なによりもアルプスに代表される大いなる自然を対象とするものだったのである。

一八世紀中葉、すでに幾人もの理論家が議論を戦わせていたこの「崇高」なる言葉をめぐって、ある決定的な一冊が出現した。それが、のちの政治家バーク（一七二九–九七）による『崇高と美の観念の起源』（一七五七）である[5]。弱冠二〇代の若者によって書かれたこの書物はロンドンで大きな話題をよび、その反響はフランス、ドイツをはじめとする諸外国にもすぐさま伝わることとなった。

さきほどもふれたように、一八世紀半ばのイギリスにおいて「崇高」をめぐる議論はそれなりに人口に膾炙しており、バークの議論の大部分も、けっしてオリジナルなものではなかった。ならば、同書の何がそれほど新しかったのか。おそらくそれは、バークの書が「美（beautiful）」と「崇高（sublime）」という二つの美学的カテゴリーを、かつてなく明瞭に対比させたことにある。かつて〈真・善・美〉という超越的な理念《イデア》の一部をなしていた「美」は、ここではあくまで、われわれが経験的に知るひとつの「観念」として扱われている。なおかつ、この「美」は「崇高」というもうひとつの観念とカップリングされることで、その相対的な性格をますます強めるようになった――たとえば「大きなもの、恐ろしいもの、抽象的なもの」は崇高であり、「小さなもの、愛らしいもの、具象的なもの」は美しい、といった具合である。

ここまでの内容からもうかがえるように、一八世紀に成立した近代的な「崇高」の理論

4｜この観点から言うと、夏目漱石『三四郎』（一九〇八）における次のようなやりとりは興味深い。ここには、自然を対象とする一八世紀的な「崇高」の用法が、そもそも人間から自然に投影されるかたちで始まったという事情がはっきりと、しかもユーモアを交えて語られている――「三四郎は富士山の事を丸で忘れてゐた。広田先生の注意によつて、汽車の窓から始めて眺めた富士は、考へ出すと、成程**崇高なもの**である。たゞ今自分の頭の中にごた〳〵してゐる世相とは、とても比較にならない。三四郎はあの時の印象を何時の間にか取り落してゐたのを恥づかしく思つた。すると、「君、不二山を翻訳して見た事がありますか」と意外な質問を放たれた。「翻訳とは……」「自然を翻訳すると、みんな人間に化けて仕舞ふから面白い。**崇高**だとか、偉大だとか、雄壮だとか」」（『定本漱石全集』第五巻、岩波書店、二〇一七年、三五〇頁、改行・ルビは省略）。

5｜Edmund Burke, *A Philosophical Enquiry into the Origin of Our Ideas of the Sublime and Beautiful* (1757), edited by James T. Boulton, London: University of Notre Dame Press, 1968（エドマンド・バーク『崇高と美の観念の起原』中野好之訳、みすず書房、一九九九年）。バークの前後の時代の「崇高」論については、次のアンソロジーが参考になる。Andrew Ashfield and Peter de Bolla (eds.), *The Sublime: A Reader in British Eighteenth-Century Aesthetic Theory*, Cambridge: Cambridge University Press, 1996.

は、ほかならぬ「自然の崇高（natural sublime）」の発見と不可分であった[6]。そのような言説の背後に、グランド・ツアーをはじめとする当時の文化風習があったことは、さきにも見た通りである。だが、当時のイギリスで「崇高」をめぐる理論が形成されつつあるまさにそのとき、ひとつの自然災害が西欧を襲ったことを付け加えておかねばならない。リスボン大地震である。

リスボン大地震とは、一七五五年の万聖節（一一月一日）の早朝に、ポルトガルの首都リスボンを襲った震災のことをいう。この地震の規模は——現在の単位で言うと——マグニチュード9に相当するとされており、その後の火災も含めると、死者数はおよそ九万人に達したとも言われている。これは、当時のリスボンの人口の三分の一にあたる人数であった。

この大災害が、当時の「崇高」をめぐる理論の形成にいかほどの影響をおよぼしたのか、正確なところはわからない。バークも、そしてカントも、みずからの「崇高」論のなかで、直接この震災にふれることはなかった[7]。それでも、「崇高」が自然に対する「恐れ」や「畏怖」に結びつけられるとき、ヨーロッパの人々の脳裡には、このリスボン大地震の——想像上の——光景が映じていたはずである。

3―言葉における崇高

さきほど、一八世紀のヨーロッパにおいて、「崇高」はすでに詩や文学の理論に一定の地位を占めていた、と言った。順番としては前後するが、これについても一通りのことを見ておく必要があるだろう。

6―一八世紀イギリスにおける「崇高」については、アメリカの文芸批評家サミュエル・E・モンク（一九〇二―八二）が『崇高――一八世紀イングランドの批評理論についての研究』(Samuel Holt Monk, *The Sublime: A Study of Critical Theories in XVIII-Century England* (1935), Ann Arbor: University of Michigan Press, 1960) を著して以来、数多くの専門的な論文が発表されてきた。それらを見るかぎり、一八世紀イギリスにおいて成立した「崇高」が**自然の崇高**を対象とするものであったことは、衆目の一致するところである。

7―カントは一七五六年、すなわちリスボン大地震の翌年に三篇の地震論を執筆・公表している。その事実からもうかがえるように、カントはもちろんこの震災を無視していたわけではなかった。しかし、ここでのカントの関心はあくまで自然科学的なものであり、そこにのちの「崇高」論の萌芽となりうる要素はみとめられない。これについてはカントの地震論三篇（松山壽一訳、『カント全集1　前批判期論集Ⅰ』岩波書店、二〇〇〇年）を参照のこと。

そもそも、この「崇高」という語彙じたいは新奇なものでも何でもない。「崇高」は古典ギリシア語で「ヒュプソス（ὕψος）」という。これはもともと空間的な「高さ」を意味する単語であり、のちにそれが転じて、精神の「高貴さ」を比喩的に意味するようになった。

この比喩的な用法は、とりわけ伝統的な教養科目のひとつである「レトリック（修辞学・弁論術）」の領域で広く見られるようになる。つまり、政治家による時宜を得た演説や、法廷での切実な弁論が人々の心を興奮・高揚させるとき、その言葉は「崇高な」ものだと言われた。そのような「人々を感動させる」ことを意図した言説は、古代ギリシア・ローマでレトリックの理論が確立されていくにつれ、やがて「崇高体（genus sublime）」というひとつのスタイルとして定着をみせていった。

これらの話題においてひときわ重要なのが、近世において発見された『崇高論』という一冊の謎めいた書物である。ギリシア語で書かれたこの無名作家の書――その後しばらく三世紀の「ロンギノス」に帰されていた――こそ、のちのあらゆる「崇高」論の土台となったものである。

この（伝／偽）ロンギノスの『崇高論』は、一六世紀半ばに原文が、そして一七世紀のはじめにそのラテン語・近代語訳が世に出回ることとなった。なかでもその評価を決定的なものとしたのが、詩人ニコラ・ボワロー（一六三六―一七一一）によるフランス語での紹介である。

　ボワローは、一六七四年にはじめて『崇高論』の仏訳（*Traité du sublime*）を公にすると、それにみずから長大な序文を寄せ、ロンギノスによる同書の意義を力説したのだった。ボワローによれば、ここでロンギノスが問題としているのは、伝統的なレトリックにおいて教えられる「崇高な文体（le style sublime）」のことではない。『崇高論』の真の主題は、あらゆる偉大な言葉のうちに潜む「崇高さ（le sublime）」である。つまりロンギノス＝ボワローによれば、言葉における「崇高」は特定の文章や演説スタイルに由来するのではなく、その目的が何であれ、人びとを「興奮」させ「陶酔」させるような言葉のうちにこそあるのだ。

　なるほど、じっさい『崇高論』に目を通してみると、そこでロンギノスが崇高なものとして挙げる言葉は、いわゆる弁論や演説にはとどまらない。いささか驚くべきことだが、そこではプラトン（哲学）、トゥキディデス（歴史）、サッポー（文学）など、あらゆるジャンルにまたがる作家たちが縦横無尽に論じられるのだ（このことから『崇高論』を世界最古の「文芸批評」と呼ぶ文献もある）。

　ここにいたって「崇高」は、文体の一ジャンルから、言語一般のうちに含まれる高尚さへと、その意味を大きく転じている。そして、この事実を能うかぎり強調したボワローの『崇高論』により、同書はその後ヨーロッパ中に伝播し、のちの複数の文学的潮流に影響をおよぼすこととなったのである[8]。

ここまで見てきたような、言葉における「崇高」をめぐる歴史的事実は、おおよそ次のように整理できる。①「崇高」とは、もともとギリシア語で「高さ」を意味する一般名詞だったが、のちにこれが比喩的に「崇高さ」を意味する用法へと転じた。②なおかつ近世まで、それはレトリックの伝統における「崇高体」というひとつの文体《スタイル》をさすものであった。③かたや一七世紀のヨーロッパで『崇高論』が「発見」されると、それはもはや一つの文体ではなく、「偉大な言葉」が帯びる高尚な性格を形容するものとして、あらためて注目を集めるようになる。④結果、一七世紀当時の「崇高」はおもに文学の概念として、詩や散文に対して用いられることが一般的であった。

ここから次のように言えるだろう。一七世紀から一八世紀にかけて、「崇高」論はその対象を大きく変えた。詩にせよ散文にせよ、一七世紀までの西洋世界において、崇高さとは「言葉」に対して、あるいはそれを操る人間の精神に対して用いられるものにほかならなかった。かたや、前節において見たように、一八世紀におけるそれは「自然」の光景を通じて感じとられる特異な感情へと転じた。もちろん、言葉における崇高なものの系統が、それ以来まったく絶たれてしまったわけではない（バークやカントのなかにさえ、そうした要素は随処に見いだされる）。だがひとつの言いかたとして、一七世紀から一八世紀を境に、「崇高」が「言語的なもの」から「感性的なもの」へと大きく舵を切ったと言うことは十分に可能だろう[9]。

4 ― 芸術における崇高

二〇世紀後半から今日までを大きく「現代」と言うことが許されるなら、現代における「崇高」論は、その後いかなる展開をみせたのだろうか。「感性的なもの」が中心にあり、

8 ― ボワローによる『崇高論』紹介の歴史的意義についてはさまざまな研究書がある。なかでもボワローのテクストに密着したものとして、一九九五年に同書を編纂したフランシス・ゴイエの仕事（Longin, *Traité du Sublime*, traduit par Nicolas Boileau, introduction et notes par Francis Goyet, Paris: Librairie Générale Française, 1995）を参照することを勧めたい。

「言語的なもの」がその背景にぼんやり見えるという構図は、基本的には変わらない。ただし変わったこともある。現代における「崇高」論の中心は、もはや「自然」ではなく、「芸術」をはじめとする人工物に席巻されることとなった。

芸術——ここではもっぱら視覚芸術をいう——をめぐる言説に「崇高」の語彙が見られるようになったのは、おおよそ二〇世紀半ばのことである。その要因としては、マネ以来の近代絵画において主流となった抽象絵画の出現が挙げられる。カンディンスキーやモンドリアンをはじめとする抽象画家たちと神秘主義の接近、あるいはロスコやニューマンのような画家たちの精神主義は、なかでも広く知られるところである。また、そうした事実はさておくとしても、抽象絵画における「曖昧さ」や「茫漠さ」といった形式的特徴は、バークやカントが自然を通じて見いだした崇高なるものの特徴にすぐれて合致するものだった。かくして、みずから「崇高」についての文章をものしたニューマンをはじめ、「崇高」は二〇世紀の美術理論に不可欠なタームのひとつとなっていった[10]。

たとえば美術史家のロバート・ローゼンブラム（一九二七－二〇〇六）は、当時のアメリカを代表する画家たちを論じた文章のなかで、「抽象的崇高（abstract sublime）」なる言葉を用いている。具体的にローゼンブラムが取りあげるのは、クリフォード・スティル（一九〇四―八〇)、マーク・ロスコ(一九〇三―七〇)、ジャクソン・ポロック(一九一二―五六)、バーネット・ニューマン(一九〇五―七〇)の四人である。一九六一年の論文「抽象的崇高」では、バークやカントの理論を補助線としつつ、抽象表現主義の絵画がいかなる意味において「崇高」だと言われるのか、その概略が示されている[11]。いずれにせよ、ここではもはや「自然」ではなく、むしろ「芸術」こそが崇高な対象として論じられていることに注目したい。

9―それぞれ表現の違いはあれど、次の文献で示されている「A→B」は、いずれも一七世紀から一八世紀にかけての「崇高」論の変貌についてのべたものである。「修辞における崇高→自然における崇高」(R. S. Crane, "Review of *The Sublime: A Study of Critical Theories in XVIII-Century England by Samuel H. Monk*," *Philological Quarterly*, vol. 15 (1936), pp. 165–167)/「古典主義的崇高→ロマン主義的崇高」(N. Cronk, *The Classical Sublime: French Neoclassicism and the Language of Literature*, Charlottesville: Rookwood Press, 2002)/「修辞学的崇高→美学的崇高」(星野太『崇高の修辞学』月曜社、二〇一七年)

10―ニューマンの「崇高はいま」(Barnett Newman, "The Sublime Is Now" (1948), in John P. O' Neill (ed.), *Barnett Newman: Selected Writings and Interviews*, New York: Alfred A. Knopf, 1990, pp. 170–174)というテクストは、「崇高」を特集した雑誌『タイガーズ・アイ』の求めに応じて書かれたものだった。邦訳は次の二種類を参照のこと。「崇高はいま」神林恒道訳、『芸術/批評』第〇号、東信堂、二〇〇三年、一四五―一五〇頁/「崇高はいま」三松幸雄訳、バーネット・ニューマン『崇高はいま』三松幸雄編訳、Tokyo Publishing House、二〇一二年。

かつてアドルノは『美学理論』（一九七〇）において、「自然」をおもなモティーフとするカント的な「崇高」を、むしろ前衛芸術を論じるためのキーコンセプトとしてとらえなおすことを試みていた[12]。事実、のちの時代に目を転じてみても、アンドレアス・グルスキー（一九五五−）や池田亮司（一九六六−）の写真・映像作品について、「崇高」なる批評用語が散見されるケースは珍しくない。この数世紀にまたがるテクノロジーの爆発的な進歩によって、かつて人間にとって畏怖の対象であった自然は、その性格のいくばくかを人為的な技術に譲りわたすこととなった。そして一部の芸術もまた、しばしばわかりやすく壮観なスペクタクルによって、かつて自然が担っていた立場を代替するようになった。そうした事実に鑑みても、二〇世紀における「崇高」論が自然から芸術へとその主要な対象を変えたというのは、けっして言い過ぎではないだろう。

5 ― 崇高なるものの転回

前半をまとめよう。古代から現代までの「崇高」論は、大きくいえば〈修辞学→美学→＋α〉へとその領域を広げていった。もちろん、こうした変遷を直線的なものだと考えてはならないが、これまで「崇高」なる形容を冠する対象は総じて〈言葉→自然→芸術〉へと推移していった。――ここまでの内容は、さしあたりそのように整理することができる[13]。

11｜Robert Rosenblum, "Abstract Sublime" (1961), in *On Modern American Art: Selected Essays*, New York: Harry N. Abrams, 1999. ローゼンブラムのこの論文は、当時のアメリカの新進画家たちをかつての北方ロマン主義の後継に位置づけるという、のちに『近代絵画と北方ロマン主義の伝統』（神林恒道＋出川哲朗訳、岩崎美術社、一九八八年）で展開される議論をすでに予告している。

12｜T. W. Adorno, *Ästhetische Theorie* (1970), Hrsg. von Gretel Adorno und Rolf Tiedemann, Frankfurt am Main: Suhrkamp, 1973（テオドール・W・アドルノ『美の理論』大久保健治訳、全二巻（本文・補遺）、河出書房新社、一九八五－八八年）。アドルノの死後に公表された本書は文字通りには『美学理論』とでも訳しうるものであるが、藤野寛は Ästhetische と Theorie がそれぞれ撞着的な内容――「美学＝感性的」と「観照＝理論的」――を具えていることに着目しつつ、これを試みに『感性的テオリア』と読むことを提案している（藤野寛＋西村誠編『アドルノ美学解読』花伝社、二〇一九年、一二一－一五頁）。

13｜ひるがえって牧野英二は、この「崇高」なる概念が、「神・人間・自然」という「特殊的形而上学の対象」すべてに適用されてきたという事実に注目している――「「崇高」は、古代では文体および筆者の気高い精神を表わし、中世に至る過程で神の崇高さという含意が強調されるようになり、近代では崇高な自然と崇高な人間精神との対立と後者への移行という事態が生じた」（牧野英二『崇高の哲学――情感豊かな理性の構築に向けて』法政大学出版局、二〇〇七年、二〇六頁）。

ここで、「崇高」と呼ばれるものの基本性格をあらためて列挙してみたい。「崇高」とは、わたしたちの能力の限界をはるかに超える言葉・自然・芸術などを通じてもたらされる、畏れにも似た感覚のことである。それを構成するのは、美しいものを通じてもたらされる純粋な快でもなければ、その反対のたんなる不快でもない。崇高さとは〈快と不快〉、あるいは〈魅惑と反発〉という対極的なエレメントを包含する、きわめて複雑な情動的反応である。

むろん、いましがた書いたことはあくまで「崇高」の最小分母であり、この伝統ある概念が、古今の理論家によってさまざまに翻案されてきたことを忘れてはならない。ここで次なる課題としたいのは、二〇世紀後半に出現した「崇高」論の豊かな成果を参照しつつ、現代におけるその新たな可能性を見極めることにある。そのために、ここまで見てきた「崇高」のマトリックスを、さしあたり次のように整理することにしよう。

	近代以前	近代以後		
	17世紀	18世紀	19世紀	20世紀
領域	修辞学	美学（＋α）		
対象	言葉	自然	芸術	その他

①超越的（⇕水平的）
②空間的（⇕時間的）
③感覚的（⇕修辞的）
④統一的（⇕散文的）

この①から④が伝統的な「崇高」を特徴づける四つの性格であり、そのあとの丸括弧内が、いわばそのカウンターパートに相当する。ここからは、これら四つのペアを順番に論じ、そのうえで、おもに後者の丸括弧内の要素からもたらされるオルタナティヴな「崇高」の可能性を探り出すことにしたい。

6 ― 水平的崇高

崇高なるものは、つねに超越的なものに結びついている。より正確に言うなら、崇高なるものは、超越的なものとの不可能な関係において表出される。たとえばカントにおいて、「崇高」はそれ自体としては表象不可能な「理念」を間接的に——ということは暗示的に——表象するものにほかならなかった。

その理由は次のようなものである。われわれは、理性に原因をもつ「理念」なるものを、それ自体として見たり聞いたりすることはできない。にもかかわらず、そのような理念がありうるということは、われわれがそこに到達できないというその事実が否定的なしかたで証明してくれる。これを、より一般的に敷衍すると次のようになるだろう。われわれは〈対象X〉にけっして到達できない。だが、まさにその事実こそが、到達不可能な〈対象X〉があるということを間接的に教えてくれる。〈対象X〉そのものには到達できなくとも、その陰画《ネガ》としての到達不可能性が、当の対象を結果的に浮かび上がらせるからだ。これと同じ論理により、理性理念もまたそれ自体としては表出不可能であるが、同時にそれは一箇の「表出不可能なもの」として表出される[14]。

カント的な図式に立脚する「崇高」論は、おおむねこうした「否定神学」的モデルに基づいている。その場合「崇高」とは、われわれには認識不可能な〈対象X〉があるということを否定的に表示する、そのような契機を意味することになるだろう。こうした事情もあってか、二〇世紀末における「崇高」論は、時にホロコーストの「表象不可能性」をめぐる議論のなかで引き合いに出されることもあった[15]。

だが、ここでより厳密になろう。崇高な経験においては、表象不可能な〈対象X〉それ自体ではなく、むしろその〈対象X〉との関係のもとでとらえられた「われわれ」の限界こそが問われているのではないだろうか。先ごろ惜しまれつつ亡くなった哲学者ジャン＝

14―この論理構造を用いてカント、ヘーゲルからマルクス、ラカンまでを一続きに論じたのが、スラヴォイ・ジジェクの『イデオロギーの崇高な対象』(Slavoj Žižek, *The Sublime Object of Ideology*, London: Verso, 1989［鈴木晶訳、河出文庫、二〇一五年］)である。ジジェクによれば、カントの『判断力批判』における「崇高」の論理構造は、ラカンが『精神分析の倫理』で示した「(不可能な－現実界的な)〈物〉の次元まで高められた」崇高な対象を先取りしている (pp. 202–203［三七二頁］)。

15―代表的なものに、ソール・フリードランダー編『アウシュヴィッツと表象の臨界』(上村忠男＋小沢弘明＋岩崎稔訳、未來社、一九九四年) がある。なお歴史家のフランク・アンカースミットは、あえてその対極を行くようにして、かれが「崇高な」歴史経験と呼ぶトラウマ的出来事からホロコーストを排除している。その背景には、ヘイドン・ホワイト (一九二八―二〇一八) のそれをはじめとする、従来のホロコーストをめぐる語りへの抵抗ないし修正の意味合いがあるように思われる (Frank Ankersmit, *Sublime Historical Experience*, Stanford: Stanford University Press, 2005; Frank Ankersmit, Ewa Domańska and Hans Kellner (eds.), *Re-Figuring Hayden White*, Stanford: Stanford University Press, 2009)。

リュック・ナンシー（一九四〇–二〇二一）は、前出のような「否定神学」的な図式が、結局のところ「表象可能なもの」の次元にとどまっているのではないか、という疑念を示したことがある。ナンシーが「崇高な捧げもの」（一九八四）において指摘したように、ひとはしばしば「表象不可能なもの」といった言葉を用いながら、結局のところその〈対象X〉を「表象可能なもの」の次元に押し込めてしまうのだ[16]。

では、これに対する代替案はどのようなものになるだろうか。それは「表象可能なもの」（＝此岸）と「表象不可能なもの」（＝彼岸）を簡単に切り分けるのではなく、表象の彼岸へと、すなわち**その限界へ赴こうとするわれわれの経験**として「崇高」の思想をアップデートすることである。言うなればそれは、超越的な「崇高」から内在的な「崇高」への転換であるだろう。ナンシーはただしく次のように言っている。

> 崇高において達せられる統合は、絶対的な大きさと、限られた限界とを対にして組み合わせることにあるのではない。というのも、**限界の外には何もなく**、呈示可能なものも呈示不可能なものもないからである。そして、まさにこの「限界の外には何もない」という肯定こそが、崇高（そして芸術）をめぐる思想と弁証法（そして芸術の完結）をめ

ぐる思考とを本来的に、絶対的に隔てるのである。[17]

こうした限界《リミット》のうちにある「崇高」――おそらくそれは、唯一の超越性へと結びつけられた（否定）神学的な「崇高」ではなく、日常的なあらゆる境界のうちに見いだされる世俗的な「崇高」の可能性を開くだろう。「超越的なもの」から「水平的なもの」をめぐる思想へ。あるいは一なる〈対象X〉へとむかうのではない、「ここ」と「よそ」の境界をめぐる（liminal）思想へ――後述するように、おそらくこうした視線の転換を通じてこそ、昨今の「リミナル・スペース」をめぐる美学もまた、現代的な「崇高の美学」の一ヴァージョンへと包摂されることとなる。

16―なお、ここでのナンシーの議論は、厳密には「呈示（présentation）」と「（再）呈示＝表象（représentation）」の次元をただしく腑分けしている。だが、議論をいくぶんわかりやすくするため、ここでは問題を「表象（不）可能性」をめぐるそれにとどめる（Jean-Luc Nancy, « L'offrande sublime », in Michel Deguy et al., *Du sublime*, Paris: Belin, 1988, p. 59［ジャン＝リュック・ナンシー「崇高な捧げもの」、ドゥギーほか『崇高とは何か』所収、梅木達郎訳、法政大学出版局、一九九九年、七七頁］）。

17―Ibid, p. 59（ナンシー「崇高な捧げもの」前掲書、七八―七九頁）。

7―時間的崇高

ところで「崇高」なる概念は、従来もっぱら空間的なものとして表象されてきたと言ってよい。そもそもギリシア語の「ヒュプソス（ὕψος）」にしても、ラテン語の「スブリミス（sublimis）」にしても、そもそもは空間的な「高さ」を含意していた。その意味で、自然を対象とする一八世紀の「崇高」が、アルプスの山々をその典型としていたことは象徴的である。

　他方、過去あまり指摘されなかったことだが、二〇世紀の抽象絵画を対象とする「崇高」論のなかには——空間論ではなく——時間論と言えそうなものがしばしば含まれている。その代表的なもののひとつに、ジャン＝フランソワ・リオタール（一九二四―九八）の「瞬間、ニューマン」（一九八五）がある。そこでリオタールはカントの「崇高」論に欠けている要素として「時間の問題」を挙げており、この問題はカントではなく、むしろバークの議論のうちに見いだされるという。

　いくつか具体的に読んでみよう。リオタールの「瞬間、ニューマン」は、戦後アメリカの絵画のなかでもニューマンの作品を特権的なものとみなしている。そして、その根拠を示すさいのキーコンセプトとなるのが「時間」である。

「前衛」の作品すべて、とりわけアメリカの「抽象表現主義」の作品すべてのなかでニューマンの作品を際立たせているのは、それが時間の問題に取りつかれているからではない。そうした強迫観念は、多くの画家たちにも共有されている。ニューマンの作品を際立たせているもの、それは時間の問題に予想外の答え、つまり時間とはタブローそれ自体であるという答えを与えていることである。[18]

時間が「タブローそれ自体である」とはどういうことか。この、いささか奇妙な命題に説明を加えるため、リオタールはマルセル・デュシャン（一八八七―一九六八）の作品を引

18｜Jean-François Lyotard, *L'inhumain: Causeries sur le temps*, Paris: Galilée, 1988, p. 89（ジャン＝フランソワ・リオタール『非人間的なもの』篠原資明＋上村博＋平芳幸浩訳、法政大学出版局、二〇〇二年、一〇五―一〇六頁）

き合いに出している。リオタールによれば、デュシャンの《大ガラス》および《与えられたとせよ》は、それぞれ「視線の時間錯誤」を表象する二つの方法であり、それによってこれらの作品は、十全なしかたで出来《しゅったい》することのない「他なるもの」の類同物となる。鑑賞者の視線に巧妙にはたらきかけるデュシャンの作品において、問題となるのは「われわれの視線の裏をかくこと」であった。これに対し、ニューマンの作品は呈示しえないものを「表象＝再呈示する（représenter）」のではなく、ただおのれを「呈示する（présenter）」がままにする。ここでリオタールは、見るものの「裏をかく」というデュシャンの戦略に対して、ニューマンのタブローにおける、このうえなく明瞭な「出現」を強調している。そして「瞬間、ニューマン」においては、この「出現」にさいして惹起される感情こそが「崇高」と呼ばれるのだ。

崇高は、そこにあるという感情である。それゆえ、そこに「消費する」べきものはほぼ何もない。あるいは、いわく言いがたいものがある。人が消費するのは出現ではなく、ただその意味でしかない。瞬間を感覚するとは瞬間的なことである。[19]

ニューマンの絵画は「呈示不可能なものを呈示」する絵画ではない。むしろ、それはみずからを呈示する出現そのものである。この論理において、リオタールが言うところの「崇高」の契機は、否定的呈示（＝そこに「ない」）から呈示そのもの（＝そこに「ある」）へと一八〇度転じている。リオタールによれば、われわれの想像力のもっとも基本的なはたらきとは〈過去－現在－未来〉という時間の流れを継起的に綜合することである。そして端的な「呈示＝現前」は、ほかならぬこの時間の継起性を断ち切りにやってくる。つまり、われわれが「呈示＝現前」に触れるまさにそのとき、継起的な時間の綜合を行なっていた想像力は「一瞬」停止し、かわりに「喪失」への恐怖が立ち現れてくる、というのだ。

このように、想像力の担う第一の領分を「時間の継起」に見るリオタールは、「呈示不可能なもの」という概念を持ち出すことなく、むしろその対極にある「呈示（そのもの）」によって、ほかならぬ時間を土台とした「崇高」論の可能性を示唆している。そのとき、この「崇高」の美学は、「呈示不可能なもの」にもとづく「非－現前の美学」を脱して、

19｜Ibid., p. 91（リオタール『非人間的なもの』前掲書、一〇八頁）

むしろひとつの「現前の美学」へと導かれていくだろう[20]。

8―修辞的崇高

崇高は、われわれの感性的経験を通じて引き起こされる。より具体的に言うなら、それは自然や芸術をはじめとする外的な対象を通じて感じ取られる――一八世紀以来、われわれにとって「崇高」のイメージは、もっぱらそうした感覚的な次元に押しとどめられてきたように思われる。

だが、さきほども指摘したように、もともとこの「崇高」なる言葉は、人々の心を陶酔へと導く演説や弁論にむけられたものであった。そして、どこを見わたしても「感覚的なもの（the aesthetic）」がわれわれの日常を覆い尽くしつつあるいま、かつての「修辞的なもの（the rhetoric）」における「崇高」の可能性に、われわれはいまいちど立ち戻る必要があるのではないだろうか。いわばそれは、「感性的な崇高」に対する「修辞的な崇高」の再興に、多かれ少なかれコミットするということである。

ただし、そこでめざされるのは、かつてのような――すなわち人々を陶酔させ、高揚に導くような――「崇高な言葉」であるとはかぎらない。崇高なものは、われわれの日常的な言葉のやりとりのうちにある。むしろ、そのように考えることはできないだろうか。というのも、絵画のような視覚芸術であれ、詩歌のような言語芸術であれ、われわれの心を陶酔へと導くたぐいの「崇高な」作品は、結局のところある超越的な一点――〈対象X〉――へと収斂してしまうだろうからだ。もしそうだとするなら、それが最終的に行き着くところは、やはりこれまで通りの否定神学的な「崇高」論を大きくはみだすものではないだろう。

そうした隘路に嵌りこむことなしに、日常のなかにある無数の綻びのようなものとして

20―ナンシーも、実はこれに似たことを言っている――「美において問題となるのは一致であり、崇高において問題となるのは一致の縁どりのリズムをとる節分音《シンコペーション》である。すなわち限界が、それ自身にずっと沿って、限界づけられぬものすなわち無のなかで、痙攣的に気を失うことである。[……] それは瞬間の瞬間内の逃亡かつ現前であり、ある現在の集合かつ節分なのだ（もうここではこれ以上敷衍しないが、崇高の美学を最終的に解釈しなければならないのは、おそらく時間にかかわる用語によってなのである。それは、おそらく限界の時間についての思考というものを前提としているのであり、この思考が問題とするのは形象の消失の時間である。それは芸術に固有の時間ではないだろうか）」（op. cit., p. 61［前掲書、八〇―八一頁］）。

「崇高」を捉えなおすことはできないだろうか。こうした問題意識は、批評家のポール・ド・マン（一九一九―八三）が晩年に取り組んだ「美学イデオロギー（aesthetic ideology）」なるものの批判的考察と地続きである。そこでド・マンが「美学イデオロギー」と呼ぶのは、われわれの言葉に潜む無数の綻びを継ぎ合わせ、それを覆い隠してしまうような「ヴェール」のごときものである。より平たく言うなら、それは言葉のもつごつごつとした物質性を均《なら》し、すべてをなめらかにしていくような力学にほかならない。

ド・マンが「美学イデオロギー」という言葉に託していたのは、おおよそ次のような問題意識である。①「美的なもの（the aesthetic）」のうちには、今しがたのべたような意味での「力」が具わっている。②「美的なもの」は、それゆえに魅力があり、同時に危険なものでもある。③しかし同時に、美学にまつわるカントやヘーゲルのテクストには、そうした「美的なもの」のイデオロギーを破綻させるような契機がたしかに含まれている。――そのため、ド・マンによる「美学イデオロギー」の批判は、カントやヘーゲルによる美学的なテクストの精読を通じてこそ詳《つまび》らかにされていくのだ[21]。

こうしたド・マンの問いは、いまなおその意義を失っていないように思われる。ここでド・マンが「美的なもの」にむける批判は、この現実の複雑さをどこまでも糊塗していく耳ざわりのよい言葉にも、そっくりそのまま当てはまるものだからだ。そして「崇高」もまた、ひとつの美的カテゴリーとして、そうした「美学イデオロギー」の責任の一端を担っていることは明らかだろう。いや、それどころか、巨大な画面や音響によってこちらの思念を宙吊りにする崇高なスペクタクルこそ、「美的なもの」が揮うそうした力の最たるものではないだろうか。

われわれが二一世紀において構想すべき修辞的な（rhetorical）――あるいはテクスチュアルな（textual）――「崇高」とは、そうしたスペクタクルの対極を行くものでなければならないだろう[22]。それは、やはりド・マンの言葉をかりるなら、言葉のもつ「散文的な物質性」をあらわにするような、ごく平凡なやりとりのなかに見いだされるべきものである。つまり、その場合の「崇高」という形容は、いかにも荘厳・壮麗な言葉に付与されるものでなく、ごくありふれた日常のやりとりのなかにふと現出するような、そんな契機の

21｜Paul de Man, *Aesthetic Ideology*, edited by Andrzej Warminski, Minneapolis: University of Minnesota Press, 1996（ポール・ド・マン『美学イデオロギー』上野成利訳、平凡社ライブラリー、二〇一三年）

ことであるだろう。たとえ大地が震えずとも、たとえば軽い眩暈ひとつによって、おのれの足元は大きく揺るがされる。そうした崇高さは、感性的な次元のみならず、言語のうちにもたしかに潜んでいるはずである。

9 ― 散文的崇高

最後に、ここまでの議論を総括するかたちで、「崇高」なるものを散文的なものとして――すなわち世俗的かつ複数的なものとして――とらえなおすための簡単なスケッチを試みたい。

「崇高」を「美」のさらに上位にあるものと考えるにせよ、あるいは「美」を可能にし、それをひそかに支える土台のようなものと考えるにせよ、その場合の崇高なる対象ないし契機は、広い意味での〈対象X〉の領域を出ていない。つまり、それは何らかの〈対象X〉を梃子《てこ》として、その彼方にあるものを否定的に取り込むという「否定弁証法」（アドルノ）的な図式にきれいに回収されてしまう。

これに替わる「崇高」のモデルがあるとすれば、それは超越的というより水平的な、空間的というより時間的な、感性的というより修辞的なもののうちに見いだされる——それがここでの暫定的な結論となろう。

詩的に屹立するのではない、散文的な崇高。おそらくそれを体現する具体的な対象のひとつが、昨今ウェブ上でひとつのファンダムを形成している「リミナル・スペース（liminal space)」である。

リミナル・スペースとは、二〇一〇年代後半に広まったインターネット・ミームのひとつである。大まかな定義としては、文字通り二つの異なる場のあいだにある空間のことであるが、具体的には誰もいないショッピング・モールやホテルのロビーなど、強いインパクトこそないが、どこか不気味な雰囲気を漂わせた空間を意味する。Aesthetics Wiki などにアップされた写真を見てみると、家からホテル、駐車場から空港にいたるまで、「リミ

22―この「テクスチュアルな崇高（textual sublime)」という表現については、おもに次の文献から示唆を得た。Hugh J. Silverman and Gary E. Aylesworth (eds.), *The Textual Sublime: Deconstruction and Its Differences*, Albany: State University of New York Press, 1990.

ナル・スペース」として選ばれたスポットはさまざまである[23]。それらの共通点と言えば、そこに人の痕跡がほとんど見当たらないことくらいだろうか。

リミナル・スペースについては、現時点ではまだ一過性の流行現象であるという以上のことは言えない。しかしひとつだけ確実なのは、これらに体現されているような「美学」が、人々の視線をある一点に集めるようなスペクタクルとは対照的なものであることだ。ここにある漠然とした不気味さは、それを見るものの情動を掻き立てるような強く、崇高な何かによって支えられているのではない。むしろ、どちらかと言えば見慣れた風景のなかにひそむ眩暈のような感覚が、これらの写真にはさまざまなかたち

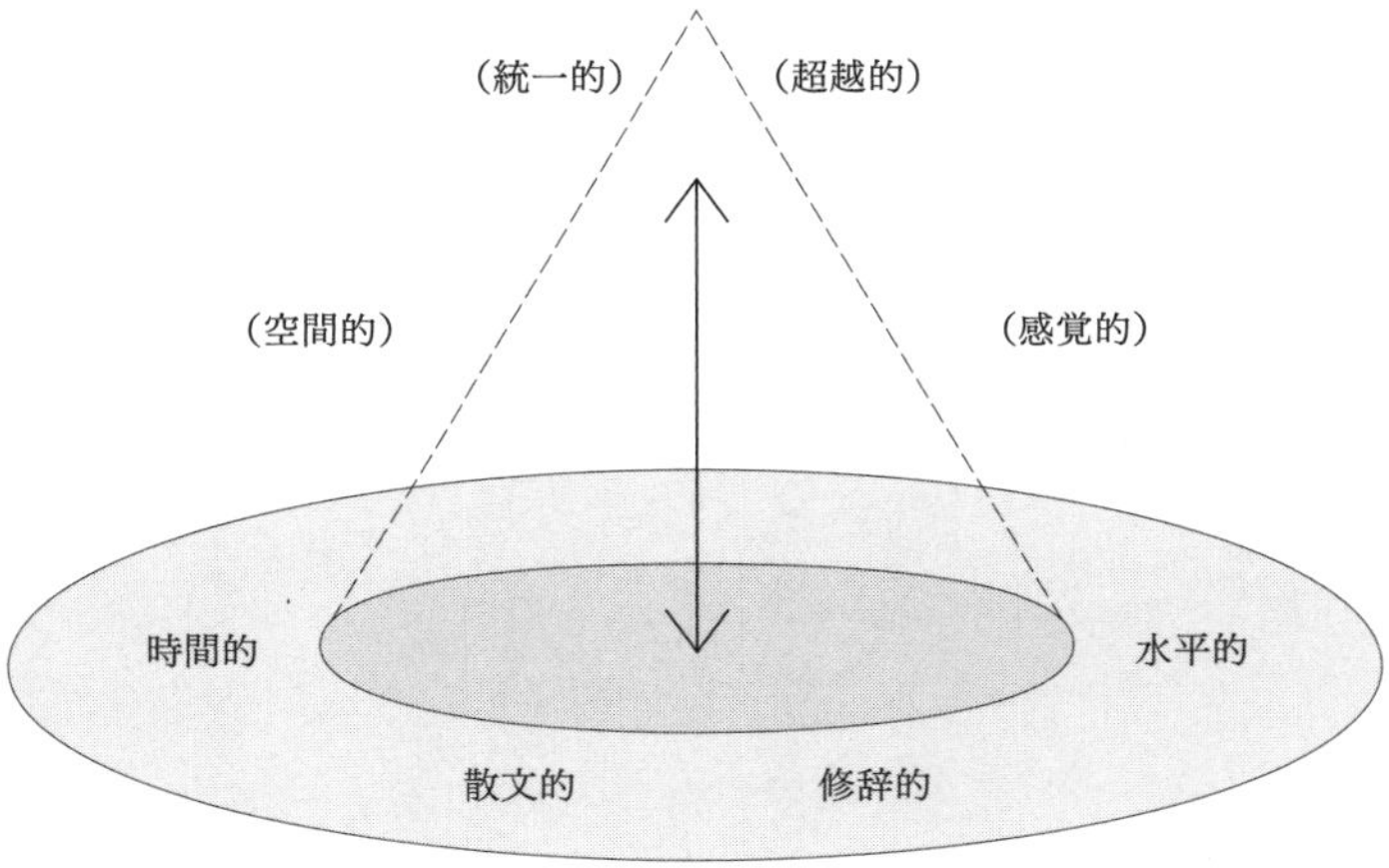

で充溢している。われわれが「散文的な崇高」と呼ぶのは、そうした「ここ」と「よそ」の境界を揺さぶるような、日常的なものの詩学にほかならない。

10　崇高のリミナリティ

すでに見たように、「崇高」はラテン語で「スブリミス（sublimis）」という。これは文字通りには「上方への移動（＝上昇）」を意味する。現代英語の場合、接頭辞「sub-」は「下方への移動（＝下降）」を意味することがもっぱらだが——たとえば「地下鉄（subway）」や「潜水艦（submarine）」——、そこにはもともと「上昇」と「下降」の双方の運動が含意されていたわけである。

23　Aesthetics Wiki（https://aesthetics.fandom.com/wiki/Liminal_Space）の説明によれば、リミナル・スペースとは「午前四時のショッピング・モール」や「夏休み中の学校の廊下」などに象徴される、「広く、空っぽ」でありながら、「不気味で、人を不安にさせるような」部屋や回廊のことである（二〇二二年一〇月一〇日最終閲覧）。

他方、ラテン語の「崇高」には、語源的には疑わしいとされるもうひとつの単語がある。それが「スブリメン（sublimen）」である。こちらには「閾」や「限界」を意味する「limen」が含まれていることからわかるように、われわれの限界をはるかに超えた領域を含意する。

歴史的な事実としては、ギリシア語由来の「崇高」に対応していたのが前者の「スブリミス（sublimis）」であることに、およそ疑いを差し挟む余地はない。だが、当世における崇高論の第一人者であるバルディーヌ・サン・ジロンも言うように、後世において「スブリメン（sublimen）」という偽の由来がしばしば唱えられてきた背景には、この言葉がもつ無視しえない魅惑があると考えるべきだろう[24]。それはひとえに、この「閾」や「限界」を含意する言葉が、「崇高」のエッセンスのひとつである境界性《リミナリティ》ときわめて相性がいいからである。

崇高とは、ある限界の経験であり、美学と倫理学、詩学と政治学といった複数の領域をまたぐ、ひとつの超領域的な概念である[25]。この二重の意味を含んだ境界性《リミナリティ》の探求が、本書を貫く最大のモティーフである。

24｜Baldine Saint Girons, *Le Sublime de l'Antiquité à nos jours*, Paris: Desjonquères, 2005, p. 51.

25｜ここまで見てきた「崇高」概念をめぐって、そこに「境界の（liminal）」という形容を添えた数少ない文献が、トマス・ワイスケル『ロマン主義的崇高』の第三部に相当する――実質的にはワーズワース論一本のみを収めた――「境界の崇高（The Liminal Sublime）」である。Thomas Weiskel, *The Romantic Sublime: Studies in the Structure and the Psychology of Transcendence*, Baltimore: Johns Hopkins University Press, 1976.

崇高をめぐる5つの対話

対談 1

池田剛介×星野太

それでもなお、レトリックを

池田剛介｜いけだ・こうすけ
1980年生まれ。美術作家、京都教育大学非常勤講師。メディウムを横断しながら制作を展開し、並行して批評誌などでの執筆を行なう。2019年より京都にてアートスペース「浄土複合」をディレクション。著書に『失われたモノを求めて——不確かさの時代と芸術』（夕書房、2019年）。主な展覧会に「「新しい成長」の提起 ポストコロナ社会を創造するアーツプロジェクト」（東京藝術大学大学美術館、東京、2021年）、「あいちトリエンナーレ2013」（愛知、2013年）など。

池田｜今年はマルセル・デュシャン〔1〕の《泉》（一九一七）が発表されてから、ちょうど一〇〇年後にあたります。周知のように、これは男性用小便器に署名を書きつけて展示するというもので、二〇世紀美術にもっとも影響を与えた作品のひとつと言えるかと思います。いま世界各地で展開されている現代美術も、おおよその延長線上にあると言えるでしょうが、ここから決定的に新しいものが出てきているという感じがしない。

そうした二〇世紀的な問題の袋小路というのは、芸術の領域に限ったことではなく、目下の政治状況にも通じています。近代がつくり上げてきた普遍主義や進歩主義、その延長上にある多文化主義も含めて、ことごとく折り返し地点に差し掛かっている。それは、とくにリベラリズムを引っ張ってきた欧米から崩れてきています。イギリスでは国民投票によってEUからの離脱が決まり、アメリカではドナルド・トランプが大統領となりました。その他のヨーロッパ各国でも、グローバル経済や移民問題による鬱屈を背景として、極右政党が台頭してきている。この傾向を押し留めることはおそらく不可能でしょう。これまで基本的に多文化主義の論陣でやってきた左派的な言説も、深く検討が求められる状況かと思います。

こうした政治状況にも現れているわけですが、芸術の分野では近代が積み上げ

1｜マルセル・デュシャン
一八八七―一九六八。フランス出身の芸術家・チェスプレーヤー。大量生産された既製品を用いた「レディ・メイド」の作品をはじめとして、二〇世紀以降の芸術に多大な影響を与えた。作品に《泉》、《彼女の独身者たちによって裸にされた花嫁、さえも》、《1落ちる水 2照明用ガス、が与えられたとせよ》など。

てきた問題がなかなか突破できない、あるいはいまだに二〇世紀的な問題圏の中にいるように思う。ごく端的に言うと、そろそろ二一世紀が来てほしい（笑）。とりわけ芸術の分野での理論と実践との分断を感じていて、これらを架橋しながら新たな言説の空間を開いていく必要があるだろうと。しかし「新しい」と言ったときに、じゃあこの五年、一〇年の状況がどうだとか、いま何が流行っているといった話をしても、結局すぐに消費のサイクルの中で消えていってしまう。消費の波のなかで新しいとされているものは、まったく同じ論理によってすぐに古いものになってしまう。そういう次元の議論ではなく、より根本的に近代そのものを再考する、あるいは古代にまでさかのぼって、いまここにある足場を徹底的に検討しつつ、その先にあるビジョンを開いていく、そういったことができればと考えています。

ポストトゥルース時代と修辞学

池田──星野さんが上梓された『崇高の修辞学』は、そうした議論を展開するうえでの重要な布石となるだろうと思いました。これは非常に緻密な議論に基づく本格的な研究書であることは間違いないのですが、同時に、先に触れたような現在の政治状況とすごくリンクするところもある。演説や弁論あるいは誇張など、レトリックの問題が大きな主題となっていますが、これらの問題は現在の情報環境とセットになって大きな影響力をもち始めています。普遍的な価値や真実といったものの価値が失墜し、妄想めいた信念が乱立しながら情報環境の中で増幅されていくポストトゥルース時代と交差しうる問題提起でもあると思います。こうした現代の状況との接点からお話を始めるのはいかがでしょうか。

星野──はい。『崇高の修辞学』の元になった博士論文はすでに二〇一四年に完成しているので、これが二〇一七年に出たのは偶然といえば偶然です。ただ、二〇一七年が歴史的にどういう年として記憶されるかと言えば、やはりトランプが合衆国の大統領になった年だということになるでしょう。池田さんもおっしゃったポストトゥルースと言われる時代状況と、自分がこの本で書いたこととは、たしかに奇妙にリンクしているところがあると思います。

それはやはり、この本がレトリックの問題を扱っていることが大きいでしょう。レトリックの問題、すなわち修辞や弁論の技術を論じたロンギノス[2]の著作から本書は議論を立ち起こしています。具体的には冒頭の第一章に関わってくるところですが、ぼくの本では、真理と詐術をアプリオリに区別することはできないというテーゼを出しています。これは、ともすると、さきほども言及があったよ

2｜**ロンギノス**
生没年不明。崇高を論じた最古の著作『崇高論』の著者として名をとどめる。一六世紀における発見以来、長らく『崇高論』はヘレニズム期の修辞学者カッシウス・ロンギノスの手によるものとされてきたが、推定される執筆年代との齟齬などから、同書をロンギノスの著作とする定説は現在では覆されている。こうした事情から、しばしば「偽ロンギノス」とも名指される。

うな相対主義のようなものとして理解されるおそれがあると思うんです。つまり、二〇世紀後半に台頭した相対主義や、絶対的な真理は不在であり、そこにはパースペクティヴがあるだけだという極端な遠近法主義として、自分のテーゼも理解されかねないところがある。

しかし、本書が目指したのはそのような方向性ではない。むしろ『崇高の修辞学』で集中的に論じているのは、ギリシア語のテクネー、つまり技術の問題です。本書の第一章で論じているテクネーというのは、いわゆる真理を歪めるための小細工ではなく、そもそも真理が真理として現れ出ることを可能にするような働きのことだからです。

具体的に、この本で扱っている事例を引き合いに出しておきます。たとえばロンギノスの『崇高論』では、転置法という比喩が論じられています。これは現代で言うところの倒置法とほぼ同じものですが、言ってみればこれは、われわれがふだん使っている統辞法とは異なる規則に従っているわけですね。それは、いわゆる普通の文法からは外れた言い回しである。しかしロンギノスによれば、この転置法というテクネーを用いることによってこそ、ホメロス[3]は『オデュッセイア』や『イーリアス』において、登場人物の怒りや動転をより正確に表現することができた。つまりこれは、テクネー（テクニック）によって物事の正しい姿が

3｜ホメロス
生没年不明。紀元前八世紀ごろの人物とされる古代ギリシアの詩人。二大叙事詩『イリアス』と『オデュッセイア』の著者と伝えられる。この詩人が実在するのか、また二大詩が彼の手によるものであるのかは、すでに古代よりしばしば疑問視されていたが、一八世紀末以降、この問いは「ホメロス問題」としてギリシア文献学の一大トピックとなった。

あらわにされる、という議論であるわけです。

この例だけを取っても、本書が提示している真理と詐術の分別不可能性というテーゼが、けっして相対主義に向かうものではないことがわかると思います。むしろテクネーの次元というのは、それこそ今日の話でいえば「アート」に関わっている。

修辞学と表現

池田——アートという言葉はラテン語のアルスに由来するものですが、これはそもそもギリシア語のテクネーの訳語だったと言われますね。その意味で、この本の議論はアートの問題ともつながっている。教科書的に言うと、ソクラテス[4]がソフィストを批判したことが哲学の起源と見なされているところがあります。詭弁を使って人々を誘導する存在としてソフィストは位置づけられていて、それを批判しつつ真理を追求する哲学者としてソクラテスがいる、と。近代以降の哲学もその延長線上で組み立てられる。たとえばベルナール・スティグレール[5]などども、プラトン[6]までさかのぼりつつ、真理と対置されてきた技術というものに新たな光を当てています。

4｜ソクラテス
前四七〇／四六九–前三九九。古代ギリシアの哲学者。哲学の成立に決定的な役割をはたした。真理探求の方法としての「無知の知」や「問答法」を巧みに用いたことで知られる。自身は一切の著述を行なわなかったが、プラトンの対話篇やアリストファネスの喜劇作品といった彼の死後に書かれた著作を通じてその思想は後世に伝えられた。

5｜ベルナール・スティグレール
一九五二–二〇二〇。フランスの哲学者。コンピエーニュ工科大学教授、国立視聴覚研究所副所長、音響・音楽研究所所長などを歴任。技術と人間の関係を論じたシリーズ『技術と時間』で著名。その他の著書に、『象徴の貧困1』、『現勢化』、『愛するということ

同時におもしろいと思うのは、星野さんの議論のなかで、技術というものが危ういものにも近づきかねない諸刃の剣のように見える点です。そこでは詐術や誇張、あるいは情動の感染みたいな問題まで含めた意味での技術が扱われている。

星野――そうですね。もうすこし技術という問題に即して言うと、この『崇高の修辞学』という本は、表向きは崇高についての本だということになっている。ただ、実際に読んでいただくとわかると思うのですが、タイトルに含まれているふたつの単語のうち、全体を通じて強調されているのは明らかに修辞学のほうです。つまり一方で、本書の学術的な目的というのは、従来の崇高とは異なる「言葉と崇高」の系譜をロンギノスにまでさかのぼって提示することにあります。本書ではそれを「修辞学的崇高」と名づけることで、ふだんわれわれが崇高と呼んでいるのは、カント由来の「美学的崇高」にほかならないということを示そうとした。しかし序文を読んでいただければわかる通り、他方で本書は明らかに修辞学の再考という部分に強調点を置いている。

その動機は、さきほど池田さんが整理してくださったように、「哲学」対「修辞学」や「哲学者」対「修辞家」のような、哲学の影としての修辞学について考えてみたかったからです。プラトンの修辞学批判は有名ですが、その後の哲学史においても、修辞学はつねに批判の対象とされてきました。本書の第六章で論じ

と』、『テレビのエコーグラフィー』（ジャック・デリダとの共著）など。

6｜プラトン
前四二七–前三四七。古代ギリシアの哲学者。「対話篇」と呼ばれる対話形式で書かれた多数の著作において、イデア論や想起説といった立場を展開した。プラトンとその後継者たちの思想は「プラトン主義」と呼ばれ、西洋哲学において主要な潮流のひとつを形成した。著書に『ソクラテスの弁明』、『国家』、『饗宴』など。

ているカント[7]も、当時そこそこの影響力をもっていた通俗哲学者たちを「幻視の哲学者」という言い方で批判している。これはプラトンによるソフィスト批判と基本的に同型のものです。つまり「幻視の哲学者」たちは、論証の努力を欠いた大胆な言葉遣いによって、周囲の人々にみずからの考えを信じ込ませることに腐心している。その様子をカントは、「大胆さとは、なんと伝染しやすいものであることか」と皮肉っています。

このように、修辞家というのは哲学者によってたえず批判を向けられてきた存在ではあるのですが、ある意味で彼らは、哲学者たちの自己規定において不可欠な存在でもあったと思うんですね。そこで、本書のカントを論じた章では、むしろカントの中にも内なる修辞家がいるということを示そうとした。カントの著作は、さまざまな哲学書のなかでももっとも修辞から縁遠いものだというイメージがあるし、実際にカントも『判断力批判』(一七九〇)[8]で修辞学を「陰険な技術」と呼んで批判している。しかし実はカントもまた、みずからの議論の決定的なところで修辞的なテクニックを使っていることは明らかです。具体的に言うと、『判断力批判』のあとに書かれた「哲学に最近あらわれた尊大な語調について」(一七九六)[9]という論文のなかで、カントは先のような「幻視の哲学者」たちへの批判を行なっている。その議論のなかでは「理性の声」と「神託の声」という重

7―**イマヌエル・カント**
一七二四―一八〇四。ドイツの哲学者。独断論的合理論と経験的懐疑論という対立する立場を調停しつつ、独自のしかたで形而上学の基礎づけを試みた「批判哲学」によって知られる。形而上学や倫理学、美学などあらゆる領域において現在にいたるまで絶大な影響を及ぼし続けている。著書に『純粋理性批判』、『実践理性批判』、『単なる理性の限界内における宗教』など。

要な区別に話が及ぶわけですが、カントはこれを「たんに思弁的な区別にすぎない」としてやり過ごしてしまう(笑)。
これはあくまでも一例ですが、論理的に議論を展開している(とされる)哲学にも、もちろん何かしらの修辞的な力は備わっているわけですね。哲学は、みずからを哲学として自己規定するために修辞的な技術を排除してきたけれども、そもそも哲学が言語を用いた営みであり、言語がさまざまな修辞によって織りなされるものである以上、哲学から修辞が完全に排除されることなどありえない。おそらく、こういう話になると前期ウィトゲンシュタイン[10]のことなどが連想され

8｜**『判断力批判』**(**一七九〇**)
イマヌエル・カント『判断力批判』熊野純彦訳、作品社、二〇一五年。『純粋理性批判』、『実践理性批判』の後を受け、カントの批判哲学の体系を締めくくる著作で、しばしば「第三批判」とも呼ばれる。悟性、理性と並ぶ上位認識能力である「判断力」を主題としており、美的判断を扱った第一部と、目的論的判断を扱った第二部に分かれる。美学史の古典としても名高い。

9｜**「哲学に最近あらわれた尊大な語調について」**(**一七九六**)
イマヌエル・カント「哲学における最近の高慢な口調」福谷茂訳、『カント全集13』岩波書店、一九七一二二〇頁。『ベルリン月報』一七九六年五月号に掲載されたカントの論考。一七九五年に出版された、ヨハン・ゲオルク・シュロッサーの著書『シラクサの国家革命に関するプラトンの書簡』の内容に対する反論が執筆の直接の機縁となっている。本論でカントは、新たに台頭してきた、自らが知的直観をもつと信じ、迂遠な論証抜きで感情によって哲学できると思い込んだ人々を皮肉まじりに批判している。

るかと思いますが、たとえ『論理哲学論考』[11]のようにすべてを簡潔な命題によって記述したところで、そこにも何がしかのレトリックは働いている。同書末尾の「語りえぬものについては沈黙しなければならない」という命題が有名な箴言になってしまっていることなどは、その何よりの証拠でしょう。これは現代の哲学でも同じですね。現代のいわゆる分析哲学の論文では、それぞれの書き手に固有のレトリックは排除されているようにも見える。けれど、それは特徴的なレトリックが希薄であるという一種のレトリックを行使しているわけです。

拙著では、そのような意味での修辞性を問題にしました。つまり、詩や散文のような「文学的」エクリチュールにのみ関わるような修辞性ではなく、言葉が言葉である以上、そこに避けがたく混入してしまうような修辞性です。これは言語に固有の問題だと思われるかもしれないけれど、かつてロラン・バルト[12]が「イメージの修辞学」と言ったように、たとえば映画においても撮影や編集など大小さまざまなテクニックが機能しているわけですよね（バルトは当時のCMなどを分析対象としていたわけですが）。そのように考えてみると、レトリックの問題は言語にかぎらず、平面であれ立体であれ映像であれ、芸術一般にも深く関わってくる問題だと言える。

池田　平たく言えば、表現の次元。

10｜**ルートヴィヒ・ウィトゲンシュタイン**
一八八九―一九五一。オーストリア出身の哲学者。二〇世紀以降の言語哲学や分析哲学に多大な影響を及ぼした。その思想は、「写像理論」や「真理関数の理論」を基盤とする前期と、言語活動をゲームになぞらえた「言語ゲーム」概念を展開した後期に大きく分かれる。著書に『論理哲学論考』、『数学の基礎』、『哲学探究』など。

星野―そう、表現性ですね。そのような意味で、本書の議論をアートの話に広げていく可能性は十分にあると思います。

池田―バルトで言うと、『神話作用』（一九五七）[13]では修辞学に関連してプロレスについて語ったりもしていますね。プロレスでは、ボクシングのような勝ち負けの結果に向かう目的論的な持続ではなく、むしろ各瞬間の静止画的な身振りが重要であり、その身振りに修辞学的誇張が宿る。しかしチョッピングは誇張のや

11―**『論理哲学論考』（一九二一）** ウィトゲンシュタイン『論理哲学論考』野矢茂樹訳、岩波書店（岩波文庫）、二〇〇三年。ウィトゲンシュタインが生前に刊行した唯一の著作で、前期ウィトゲンシュタインの代表作。全体が比較的短いパラグラフの集積からなっており、各パラグラフには番号が付されている。言語の単位としての「要素命題」が、世界の単位としての「事態」を写しとるというしかたで、言語と世界の対応関係を説明する。

12―**ロラン・バルト** 一九一五―八〇。フランスの思想家・批評家。記号論をベースに、文学をはじめとして多岐にわたる対象を論じた。バルト自身が提示した分類によれば、彼の思想は「社会科学の時代」、「記号学の時代」、「テクスト性の時代」、「モラリテの時代」という四期に区分することができる。著書に『神話作用』、『テクストの快楽』、『明るい部屋』など。

13―**『神話作用』（一九五七）** ロラン・バルト『ロラン・バルト著作集3 現代社会の神話』下澤和義訳、みすず書房、二〇〇五年。初期バルトの主著のひとつ。もともと、一九五四年一一月から五六年五月まで『レットル・ヌーヴェル』誌で連載されていた。映画や占い、プロレスなどの大衆文化を幅広く取り上げながら、一見自然に思われるものの背後に潜むイデオロギーを「神話」として批判的に分析する。

り過ぎだ、とか（笑）。バルトは崇高というよりは美の人だとは思いますけど。

星野――そうですね。バルトについてもうすこし言っておくと、ぼくの本でも何度か出てくる『旧修辞学』（一九七〇）[14]という長い論文があります。これは、過去の修辞学の歴史や方法が簡潔にまとめられている教科書的な論文なんです。それをバルトという人が書いたという事実がすごくおもしろい。当時はバルトだけではなく、ジェラール・ジュネット[15]をはじめさまざまな人たちが修辞学的な語彙を使って高度な議論をしていた。メタファーやアレゴリーといったものもすべて修辞学に由来する比喩ですが、当時これらが哲学や批評の領域でさかんに論じられていたわけです。バルトはその背後にある歴史的な前提を共有するために、古代から近代まで続いてきた修辞学をいったん総ざらいする必要性を感じて、ああいうものを書いた。それはすごく意味があることだと思います。その意味で、『旧修辞学』という本はバルトらしからぬ本なんですが、すぐれて教科書的な本であると同時に、さまざまな発見に満ちた本でもあります。実はニーチェ[16]にも『古代レトリック講義』（一八七四）[17]というテクストがあるのですが、ニーチェはもともと文献学者としてキャリアを出発させましたから、それこそ実際に授業で使うために書いた古代修辞学についての草稿が残っているんですね。ニーチェとバルトという、一九世紀から二〇世紀にかけてのふたりの重要な思想家が、それぞれ過去の修辞学を総ざらいする仕事をしたのは興味ぶかいことだと思っています。

14｜**『旧修辞学』(一九七〇)**
ロラン・バルト『旧修辞学――便覧』沢崎浩平訳、みすず書房、一九七九年。一九六四―六五年にかけて高等研究実習院で行なわれた講義の内容をもとにした著作。初出は『コミュニカシオン』誌第一六号(一九七〇年)。伝統的な修辞学の体系と歴史を簡便に解説した本書は、同時代に登場しつつあった新たな修辞学の輪郭を描き出すための予備作業としても読むことができる。

15｜**ジェラール・ジュネット**
一九三〇―二〇一八。フランスの批評家・文学理論家。物語論、文彩研究、詩的言語の歴史的研究など文学と美学に関わる幅広い領野で独自の理論体系を構築。ツヴェタン・トドロフらとともに『ポエティック』誌を創刊し、編集委員もつとめた。著書に『フィギュール』『ミモロジック』、『パランプセスト』など。

16｜**フリードリヒ・ニーチェ**
一八四四―一九〇〇。ドイツの哲学者。伝統的な西洋哲学やキリスト教道徳、近代文明に対して痛烈な批判を行ないながら、「超人」や「永遠回帰」、「力への意志」といった概念を用いて独自の思想を展開。生の哲学や実存主義に先鞭をつけ、その後の哲学や文学に大きな影響を与えた。著書に『悲劇の誕生』、『ツァラトゥストラはかく語りき』、『道徳の系譜学』など。

17｜**『古代レトリック講義』(一八七四)**
山口誠一『ニーチェ『古代レトリック講義』訳解』知泉書館、二〇一一年。一八七二／七三年夏学期または一八七四年冬学期にニーチェがバーゼル大学で行なった講義。古典的な修辞学を体系的に解説しつつ、神経生理学的な視点から独自の言語論、隠喩論を展開。なお『ポエティック』誌第五号(一九七一年)に掲載された本講義の仏語訳は、ジャン＝リュック・ナンシーとフィリップ・ラクー＝ラバルトによって手がけられている。

美学的崇高の成立から二〇世紀後半の崇高リバイバルへ

池田｜崇高という概念を使うときには、基本的に「美と崇高」というワンセットで考えるわけですね。たとえば小さくて弱さや儚さをもつ花に対して美を感じ、切り立った崖や荒れ狂う大波に崇高を感じたりする、と。しかしこの「美と崇高」のカップリングは、星野さんの本で指摘されるように、近代になってバーク[18]とカントを中心につくられた構図であり、ロンギノスにまでさかのぼりながら、そうではない別の崇高について再考されています。まずその前提となっている美学的な崇高についてお話しいただけますか。

星野｜はい。そもそも「美学的崇高」という用語はまったく一般的なものではなくて、この本では「修辞学的崇高」という用語を導入するために、その対応物として「美学的崇高」という言い方をしています。言いかえれば、ふつうわれわれが崇高と言うときには……

池田｜言うまでもなく美学的（笑）。

星野｜そう、言うまでもなく美学的なわけですよね。それがいつごろ成立したのかといえば、それはおおよそ一八世紀のことです。とくに一八世紀のイギリスにおいて、それまで言語（詩や弁論）の問題であった崇高が、まずは心理学的な問題

18｜**エドマンド・バーク**
一七二九－九七。イギリスの思想家・政治家。合理主義批判や美学に関する著作で文筆家として名声を得たのち、政治家に転身。九四年に引退するまで、国内外の諸問題に健筆を揮った。とりわけ、フランス革命に対する批判として書かれた『フランス革命の省察』は保守主義の聖典とも称される。その他の著書に『自然社会の擁護』、『崇高と美の観念の起原』など。

19｜**『スペクテイター』**
（一七一一－一二）
ジョセフ・アディソンとリチャード・スティールによって創刊されたイギリスの日刊紙。一七一一年から一七一二年の間で五五五号が発行され、のちに七冊の本にまとめられた。さまざまな背景や主張をもっ

に変わっていきました。当時の心理学というのは今日でいう素朴心理学に相当するものですが、そういう議論が経験主義を背景に当時のイギリスで流行していた。この本では挙げていませんが、『スペクテイター』（一七一一―一二）[19]という雑誌をやっていたジョゼフ・アディソン[20]がわりと重要で、その周辺で美と崇高を人間の心理の問題として論じることが広まったと言われています。

池田―なるほど。バークより前ということですね。

星野―そう、バークよりも前に。バークはそのような言論状況のなかで、あらためて美と崇高というふたつのカテゴリーを比較するために、『崇高と美の観念の起源』（一七五七）[21]という本を書いた。これは彼がまだ二〇代のころに書かれたものです。知られるように、バークはのちに保守政治家になりますから、石原慎太郎が若いころに書いたものみたいな感じですけど（笑）。それで、これがすごくヒットする。そのあたりを境として、美と崇高は人間の感情に属するカテゴリーであり、なおかつ両者は明白に対立しているという考えが一般的になってくる。ただし、バークが挙げるその具体例を見ていくと、かなり問題のあることが書かれています。たとえば男性は崇高で女性は美であるとか、黒人は崇高で白人は美であるとか。そのようなごく通俗的な類型学にもとづいた対比によって、現在でも共有されているような美と崇高というカップリングができあがっている。

た人物の生活と意見を、架空の人物ミスター・スペクテイターが報告するという体裁が人気を博し、先行する『タトラー』誌と並んで近代小説の勃興に寄与した。

20｜**ジョゼフ・アディソン**
一六七二―一七一九。イギリスの随筆家・劇作家・政治家。オックスフォード大学卒業後、ホイッグ党から国会議員となる。リチャード・スティールが創刊した『タトラー』誌に寄稿する。『タトラー』終刊後、再度スティールと組み『スペクテイター』誌を創刊。地方紳士の軽妙な性格描写などが評判を呼び、多くの読者を獲得した。著書に『会戦』、『カトー』など。

カントにおいても、基本的にはバークと同じく美と崇高というカップリングは維持されますが、今度はこの両者がより哲学的な仕方で規定される。カントの場合、美を悟性と構想力の一致、戯れであると考える。これに対して崇高は、理性と構想力の不一致によって生じるものであるとされます。このあたりはカントの語彙をふまえていないとわかりにくいと思いますが、ともかく崇高というのは感性の外部にあるもの、すなわち理性という超感性的なものに想像力が到達しえないことに起因する、ある種の苦痛によって引き起こされる感情だということになる。

そして二〇世紀に、このカントによる崇高の概念が大きくリバイバルしてくる。カントの『判断力批判』において、「崇高の分析論」という章節は「美の分析論」のたんなる付録にすぎないとされてきました。ほかならぬカント本人がそういう言い方をしているので、後世の研究者たちはそれほど「崇高の分析論」には注目してこなかった。しかし二〇世紀後半になると、どうもこの「崇高の分析論」というのが重要そうだ、という話になってくる。とくにフランスでは、ジャック・デリダ[22]、ジャン＝フランソワ・リオタール[23]、ミシェル・ドゥギー[24]、フィリップ・ラクー＝ラバルト[25]といった人たちが七〇年代から八〇年代にかけてさまざまな崇高論を発表するようになる。まずはそのようなカントの「崇高の

21―『崇高と美の観念の起源』（一七五七）
エドマンド・バーク『崇高と美の観念の起原』中野好之訳、みすず書房、一九九九年。バークの実質的なデビュー作。古典主義の対象的、客観的な審美基準に対して、主観的な美的経験に焦点を当て心理的分析を試みる。ロンギノス『崇高論』以来の修辞学的な概念としての「崇高」を、「美」と対をなす美学的なカテゴリーとして位置づけたことでも著名。レッシングやディドロ、カントら多くの思想家に示唆を与え、近代美学の成立に寄与した。

分析論」の再評価という動きがありますね。さらにこれとはまた別の動向として、美術の文脈でも六〇年代くらいから崇高という言葉が頻繁に出てくるようになる。これはある意味では単純な話で、抽象絵画というのは……

池田｜はっきりとした対象が見えないわけですね。戦後、アメリカの抽象表現主

22｜ジャック・デリダ
一九三〇―二〇〇四。アルジェリア出身のフランスの哲学者。二〇世紀後半を代表する哲学者のひとり。「差延」や「エクリチュール」といった概念から、西洋形而上学における現前の形而上学を批判していくその思想は「脱構築」と呼ばれ、哲学のみならず多方面にわたり絶大な影響を与えた。著書に『エクリチュールと差異』、『グラマトロジーについて』、『法の力』など。

23｜ジャン＝フランソワ・リオタール
一九二四―九八。フランスの哲学者。ポスト構造主義の代表的な論客のひとり。現象学やマルクス、フロイトの研究から出発し、七〇年代以降は言語学や精神分析を踏まえながら独自の思想を展開した。近代的な「大きな物語」の失効を唱えた「ポストモダン」の概念でも知られる。著書に『言説、形象（ディスクール、フィギュール）』、『リビドー経済』など。

24｜ミシェル・ドゥギー
一九三〇―二〇二二。フランスの詩人・文学者。理論と実作の両面で現代詩を牽引。パリ第八大学で長年にわたり教鞭をとったほか、『ポエジー』誌の創刊や編集、国際哲学コレージュの院長などをつとめる。ヘルダーリンやパウル・ツェランの翻訳などでも知られる。著書に『尽き果てることなきものへ』、『ピエタ　ボードレール』など。

25｜フィリップ・ラクー＝ラバルト
一九四〇―二〇〇七。フランスの哲学者。デリダの影響のもと、ニーチェやハイデガー、ヘルダーリンの読解を通じて、哲学と文学、真理と虚構の境界をめぐる問題や、「ミメーシス」の問題に取り組む。ストラスブール国立劇場において、ヘルダーリンやソフォクレスの作品の共同演出も手がける。著書に『近代人の模倣』、『政治という虚構』など。

義[26]やフランスのアンフォルメル[27]、日本での具体美術協会[28]も含め、何かを表象するのではなく絵画の物質性それ自体を露呈させるような動向が強くなっていく。

星野―その通りだと思います。これはボワ[29]とクラウス[30]の『アンフォルム』（一九九七）[31]にもつながっていく問題ですが、まずは二〇世紀における抽象的ないし不定形な作品を理論化するさいに、崇高という概念が用いられるようになる。それは、バークやカントが崇高を不定形なもの、曖昧なものに結びつけていたことに起因しています。そうした一八世紀的な崇高の美術批評への応用として、二〇世紀に崇高概念がふたたび台頭する。それ以外にも、二〇世紀において崇高は科学技術や資本主義の問題など、さまざまな議論に適用されていきます。ですが、基本的にそれを美学＝感性論（エステティクス）の問題として扱うという点は疑われなかった。言いかえれば、そこで一貫してメインストリームだったのはバークとカントの崇高論であったということですね。それに対して拙著では、言葉における崇高の問題を論じたドゥギー、ラクー＝ラバルト、ポール・ド・マン[32]らの議論に即して、近代以後はマイナーなものにとどまっていた「修辞学的崇高」をそのオルタナティヴとして提示するという格好になっています。

池田―カントの場合、無限のような大きな対象を前にしたときに、人間の構想力

26―抽象表現主義 一九四〇年代から五〇年代にかけてアメリカで展開された抽象芸術の動向。一九四六年に美術批評家のロバート・コーツによって命名された。巨大なキャンバスや、画面全体が均一に描かれた「オールオーヴァー」の構造を特徴とする。代表的な作家にジャクソン・ポロック、フランツ・クライン、ウィレム・デ・クーニング、バーネット・ニューマン、マーク・ロスコなど。

27｜アンフォルメル
第二次世界大戦後、フランスを中心におこった芸術運動。批評家のミシェル・タピエによって提唱された。構成主義のような幾何学的抽象とは対照的に、厚塗りのマチエールや、画家の身体的な身振りの痕跡を特徴とする。代表的な作家にジャン・フォートリエ、ジャン・デュビュッフェ、ヴォルスなど。タピエの来日によって日本では「アンフォルメル旋風」が巻き起こり、具体美術協会の美術家たちなどに強い影響を与えた。

28｜具体美術協会
一九五四年に吉原治良を中心に結成された美術グループ。「従来になかったものを創り出さねばならない」という吉原のモットーのもと、先鋭的な表現を展開。既成の技法を排除し偶然性を重視した描画法による絵画、パフォーマンス、音や煙、電気といった多様な素材の使用などを特徴した初期の作品でとりわけ知られる。吉原の死去によって七二年に解散。アメリカでの回顧展などを機に、近年では国際的に再評価が進んでいる。

29｜イヴ＝アラン・ボワ
一九五二年生まれ。アルジェリア出身の美術史家・美術批評家。プリンストン高等研究所教授。専門は、マチスやピカソから戦後アメリカ美術にいたるまでの二〇世紀美術。その他、『オクトーバー』誌の編集や展覧会の企画など幅広く活動している。著書に、『マチスとピカソ』、『アンフォルム』（ロザリンド・クラウスとの共著）など。

30｜ロザリンド・クラウス
一九四一年生まれ。アメリカの美術史家・美術批評家。コロンビア大学教授。クレメント・グリーンバーグのフォーマリズムの影響から出発。ポスト構造主義の理論を導入し、七〇年代後半以降、美術批評や美術史を刷新した。批評誌『オクトーバー』の創刊・編集にも携わる。著書に『アヴァンギャルドのオリジナリティ』、『視覚的無意識』など。

31｜『アンフォルム』（一九九七）
イヴ＝アラン・ボワ、ロザリンド・E・クラウス『アンフォルム——無形なものの事典』加治屋健司＋近藤學＋高桑和巳訳、月曜社、二〇一一年。当初は、一九九六年にポンピドゥー・センターで開催された展覧会「アンフォルム——使用の手引き」のカタログとして執筆された。ジョルジュ・バタイユの思想をいくぶん自由に解釈しながら、「低級唯物論」、「水平性」、「パルス」、「エントロピー」という四つの鍵語を軸にフォーマリズムに対する批判的な応答を展開。

32｜ポール・ド・マン
一九一九—八三。ベルギー出身のアメリカの批評家・文学理論家。デリダの脱構築を文学理論として受容した「イェール学派」の中心的な存在。言語や修辞といった視点から「読むこと」の問題を論じた『読むことのアレゴリー』などの仕事で知られる。その他の著書に『盲目と洞察』、『美学イデオロギー』など。

（想像力）はそれを把握することができず、しかし把握することができないという不可能性を通じて、かろうじて無限のような対象を感知することになり、そこで崇高の感情が惹起される、と。捉えることができないという否定性を通じて高次の快を得ることになる。宮崎裕助［33］さんが『判断と崇高』（二〇〇九）［34］で詳しく論じていますが、そういうモデルが二〇世紀の後半、さまざまな議論のなかで前景化してくると思うんですね。このあたりについてはまたあとで検討することにしましょう。

アイロニーと修辞学的崇高のリミット

池田―さきほど説明していただいたように、美学的崇高とは異なる修辞学的崇高を系譜として立てつつ、最終的にド・マンのアイロニー概念を通じて修辞学そのものが、そのリミットに至る。ここでは狭義のレトリック、つまり弁論や文学で使われるような技術のみならず、日常会話で使っているような言葉すべてにまで至るようなレベルでの、修辞そのものの瓦解が描かれることになるわけですね。

星野―序論でも書いたように、この本のもっとも大きな狙いというのは、西洋の思想史のなかに「修辞学的崇高」と呼びうるひとつの系譜を探り出すことです。

33｜**宮崎裕助**
一九七四年生まれ。哲学者。専門は西洋哲学、とりわけカント以降の崇高論に関する研究や、デリダの研究。著書に『判断と崇高』、『ジャック・デリダ――死後の生を与える』など。訳書にロドルフ・ガシェ『脱構築の力』（編訳）など。

しかし、実はその下位区分というか、その大きな目的のもとにさらにいくつかの異なる目的がある。歴史的には古代、近代、現代とつながってはいるのですが、それぞれの部でやろうとしていることは、実は微妙に違ってもいる。第Ⅲ部はある意味いちばん書きたかった部分で、言ってしまえば第Ⅰ部と第Ⅱ部というのは、そこに至るまでの長い遠回りでもあるわけです。その第Ⅲ部の最後に来るド・マンを扱った章（第九章）では、言語が言語そのものとして自律的に作動した結果、われわれのコントロールから逸脱してしまうということを書いています。

池田——言語の意味が決定不能となり、言語そのものが勝手に作動してしまう。

星野——ええ。しかもそれはすごく凡庸な話でもある。いまこの会話ができているのは、そういう言葉の自律的な次元を括弧にくくっているからですね。そもそも言語というのはそういう性格をもっている。最終的には、そのような言語の裂け目をもっとも顕著に示す比喩として、本書はアイロニー論で締めくくられています。

この本でも書いたことですが、アイロニーというのは非常に危険な比喩であり、そもそも比喩と言っていいのかどうかも微妙なものです。もちろん、修辞学の本にアイロニーという項目は必ず立てられているし、それをごく手短に定義することもできる。日本語でいえば皮肉や反語と訳されるような、自分が言おうとして

34——『判断と崇高』（二〇〇九）
宮﨑裕助『判断と崇高——カント美学のポリティクス』知泉書館、二〇〇九年。イマヌエル・カント以降の「判断論」の系譜を丹念にたどりながら、美的なものと政治的なものの関係を論じる。カントの『判断力批判』の読解から、判断におけるアポリアの問いやそれと関わる「崇高の思考」が扱われる第一・二部と、二〇世紀の思想の文脈から判断の問いをさらに展開した第三部からなる。

いることを反対の表現によって言うための修辞的な技術ですね。しかし同時に、アイロニーはそれにはとどまらない、非常に巨大な問題を含んでもいる。つまりアイロニーとは、おのれが意図していることをまるっきり反対の表現によって言うことであるわけですが、それをひっくり返すと、自分がまったく意図していないことを言葉が自律的に伝えてしまう危険を含んでいる。ふつうアイロニーというのは、それを相手に読み取ってもらうための構造をともなっているのが常ですよね。

池田―だいたい文脈でわかる。

星野―そう、通常であれば、アイロニーはその解読格子を文脈として埋め込んでいると言えるわけですが、しかし厳密に考えていくと、それがアイロニーであるかどうかを決定できる人は誰もいない。たとえば池田さんが、ぼくの本に対する褒め言葉を繰り出しているときに、それが本当に褒め言葉なのか、あるいはそれこそアイロニカルに侮辱しているのかっていうのは……

池田―決定できない(笑)。

星野―誰も決定できないという、そういう次元にまで至ってしまう。ここは言い方に慎重を要するんですが、それはぼくたちのあいだで成立しているコミュニケーションが、ふとした綻びから崩壊してしまうという危険性と背中合わせである。

35―**ゲルハルト・リヒター**
一九三二年生まれ。ドイツの芸術家。戦後ドイツを代表する芸術家。「フォト・ペインティング」、「グレイ・ペインティング」、「アブストラクト・ペインティング」、「オーバー・ペインテッド・フォト」など、多様なシリーズを展開。抽象と具象、絵画と写真の境界線を問いながら、絵画の可能性を切り拓いてきた。作品に《ベティ》、《1025色》、《抽象画(809-4)》など。

それこそ、あれは本心だったのか、あるいはアイロニーだったのか、という疑念があらゆるコミュニケーションにつきまとってしまうという事態を「テクスチュアル・サブライム」という言葉で形容できるのではないかと思いました。最終的に本書は、日常的な言葉のやりとりの背後には、いついかなる瞬間においても生じてしまう言語と人間の裂け目が控えているという結論にもっていきたかった。それは、言葉そのものが自律的な機械《マシーン》である以上は避けがたい。それによって生じてしまう亀裂のようなものを、本書では言語に内在する崇高――その内在的な「臨界」――と呼ぼうとしたわけです。

池田　日常の言葉まで含めて、すべての言語が根本的にその意味を規定することができなくなってしまう、ということであくまでも内在性が強調されているわけですね。アイロニーとは、そうした言語が根本的にもつ決定不可能性をあらわにしてしまいかねない危うい修辞である、と。

このアイロニーに関して、ある人とゲルハルト・リヒター［35］について話していたことを思い出します。基本的にリヒターは偉大な絵画の歴史が終わった後に、絵画をいわば誇張的な身振りで再現する、ある種のシミュレーションとして絵画をやるわけですが、日本の多くのペインターはリヒターによるスキージを使った絵具の重層性や物質性を「普通に」崇高なものとして見てしまっているらしい（笑）。

リヒターはある種のアイロニーとして、たとえば抽象表現主義のレトリックをサンプリングするように使っているわけです。これはまさにアイロニーのもつ決定不可能性が露呈してしまっている例でもあるのかもしれない。それはともかく、何か関連づけられそうな作品などあったりしますか。

星野—アイロニーに関してですか？

池田—アイロニー、あるいはド・マンの言うような言語の物質性が日常的なレベルから露呈する、というような議論に関連して。

星野—そうですね。いま池田さんが敷衍してくださったように、言葉がものとして、物質として現れてくるというベクトルが一方にはあると思うんですが、ぼくの議論だと、意味が宙吊りになった結果として、その言葉の物質性が迫真性をもって迫ってくる、といった話にはなっていないんですよね。むしろ意味の決定不可能性という側面を強調している。だから、それを美術作品に即して考えてみても、それはおそらく物質性を露わにするような作品にはつながっていかないだろうと思います。

池田—いや、ぼくもそう思っていて。というのは星野さんの言う言語の決定不可能性というのは、ちょっとしたボケのようなものに近い感じがする。だからいわゆる意味が決定不可能になって物質的残余が露呈するという話だと、アートの文

36|**アンゼルム・キーファー**
一九四五年生まれ。ドイツの芸術家。「新表現主義」の代表的な作家のひとり。古代神話からナチスドイツにいたるドイツの歴史を主題に、藁、粘土、砂といったさまざまな素材を混ぜ込んだ巨大な絵画などで知られる。作品に《マルガレーテ》、《あしか作戦》、《二つの大河に挟まれし土地(女司祭)》など。

37|**池田亮司**
一九六六年生まれ。フランスと日本を拠点に活動する音楽家・芸術家。サイン波、グリッチ音を駆使した電子音楽の作曲を起点としつつ、聴覚メディアと視覚メディア双方を用いたライブやインスタレーションを制作。音の物理的特性や知覚との関係に焦点を当てた作品が国際的な評価を

脈ではリヒターや、あるいはもっとベタにやればキーファー[36]などがわかりやすいと思うんですけれど、神話的なアレゴリカルな水準があり、しかし同時に絵画的な物質性と拮抗する、みたいなものとしてとらえられがちなんじゃないかなと思うんです。星野さんが出している論点というのは、むしろ日常の只中にあって、その意味がちょっとズレるとわからなくなるとか、そういうことに近いと思う。

表象不可能性の問題

星野—いまの流れに関連して言うと、現代の美術作家の中でもっとも頻繁に崇高という言葉が言われるのは池田亮司[37]でしょう。浅田彰[38]さんもかつて、池田亮司と高谷史郎[39]のふたりを対比して、池田亮司は崇高へ、高谷史郎は美へと向かっているという図式を出していました[40]。それこそ伝統的な美と崇高という対立を用いながら、元ダムタイプのふたりの作品を鮮やかに対比してみせた。事実、池田亮司の作品はすぐれて崇高と言ってよいものですね。最近のどの作品を挙げてもいいですが、二〇一〇年のあいちトリエンナーレで発表された天空に光が伸びていく作品など、どこから見ても崇高なわけですよ。それ以外のインスタレーションを見ても、池田亮司の作品は一貫してサブライム型です。

得ている。作品に《formula》、《spectra》、《datamatics》など。

38｜**浅田彰**
一九五七年生まれ。批評家。一九八三年に、構造主義やポスト構造主義の理論を一貫した見取り図のもとに示した『構造と力』を発表、「ニューアカデミズム」ブームを牽引した。以降、哲学、美術、音楽など領域横断的な批評活動を行なう。その他の著書に『逃走論』、『ヘルメスの音楽』など。

池田―把握しえない膨大なデータを一挙に提示して、その把握不可能性を通じて崇高が喚起される、と。

星野―念のために付け加えておくと、ぼくは池田さんの作品は昔からとても好きです。けれど、その作品をめぐる言説を追っていくと、そこにひとつのクリシェ化された「崇高」が強固に存在することがずっと気になっていました。それに対して、ぼくが修辞学的崇高、あるいは「テクスチュアル・サブライム」という言い方で名指そうとしているのは、今おっしゃられた日常的に生じるちょっとしたズレのような、あるいはブレヒト的に言うなら異化のような、そういう日常的な経験の崩壊に近いものなんですね。

池田―ちょっとボケてしまう、みたいな感じと近いかなと。ちなみに二〇一〇年のあいちトリエンナーレでの池田亮司の作品（《spectra [nagoya]》［41］）は、天空に向かって放射される光であるわけですが、記録された映像を見ているとチラチラとノイズのような光が映っていて、なんだろうと思っていたらどうもあの光に鳥やら虫やらが集まってきていたらしい。超シンボリックな光が、まったく無関係な動物たちによって異化される（笑）。そこがおもしろいと思うんです。

星野―こういう話をしていると、飴屋法水［42］が二〇一〇年のフェスティバル／トーキョー（F／T）で発表した《わたしのすがた》［43］を思い出したりもします。

39―**高谷史郎**
一九六三年生まれ。芸術家。一九八四年、アーティストグループ「ダムタイプ」に創設メンバーとして参加。一九九八年よりダムタイプの活動と並行して個人の制作活動を開始。光学的な関心を中心としながら、テクノロジーを駆使した映像インスタレーションやパフォーマンスを制作。作品に《明るい部屋》、《CHROMA》、《ST/LL》など。

40―**出典**
「池田亮司による池田亮司浅田彰との対話」、『池田亮司 +/- [the infinite between 0 and 1]』東京都現代美術館、二〇〇九年、一〇一頁。

あの作品は形式的にはツアー・パフォーマンスで、西巣鴨から出発して、池袋周辺を二時間くらいかけて巡礼するというものでした。その作品を自分がどう経験したかということを、以前『10＋1』の年末アンケート[44]に書いたことがあります。さきほど池田さんがボケとおっしゃいましたが、自分にとっての《わたしのすがた》の経験は、完全に混乱状態と言っていいものでした。西巣鴨を出て地図を片手に歩き回っていたら飴屋さんがそのへんを歩いていて、なんだこりゃと思って（笑）。それで、道を歩いている人がみな演者に見えてくるし、しかも地

41―**《spectra [nagoya]》**　強烈な白色光を「彫刻」として用いた、池田亮司の大規模なインスタレーションシリーズ《spectra》のひとつ。ギャラリースペースや公共空間などにその都度の環境に応じてデザインされる。「あいちトリエンナーレ2010」の一環として九月二四、二五日の二日間にわたって名古屋城二の丸広場で発表された本作は、六四台のサーチライトによる白色光と、一〇台のスピーカーから出力される正弦波から構成される。

42―**飴屋法水**　一九六一年生まれ。演出家・芸術家。八四年に劇団「東京グランギニョル」を結成。九〇年代以降は現代美術に活動の場所を移しながら、根源的な生への関心を主題にした作品を発表する。二〇〇七年には演劇へ本格復活し、多岐にわたる活動を展開している。作品に《パブリックザーメン／公衆精子》など。戯曲に『ブルーシート』など。

43―**《わたしのすがた》**　二〇一〇年の「フェスティバル／トーキョー10」で発表された飴屋法水の作品。演劇祭に出展された作品であるが、本作には戯曲、舞台、俳優が存在しない。鑑賞者は受付で紙を渡され、その指示通りに旧運動場から三つの廃墟へと点在する四つの会場を訪れながら、かつてそこで営まれていた（とされる）生活の痕跡に触れることになる。

図の見方がおかしかったのか完全に道に迷ってしまって、そもそもこの手渡された地図からして嘘なのではないかという、それこそアイロニカルな疑念がどんどん湧いてきてしまった。最終的にはそれぞれのスポットをぐるぐる回って帰ってきたんですが、別にスペクタキュラーな仕掛けがあるわけでもない。けれどもそれは、自分にとっては地面の底が抜けたような経験でした。ド・マンについての章は、そんなベクトルをもった非－超越的なサブライムについて考えようとしたものである、と言っていいかもしれません。

池田―まさにそう思うんですね。美学的崇高で言われるような表象不可能性の議論って、すごく倫理的な態度を要請するような深遠なテーマになりがちなんだけれど、むしろすごく日常的な言語経験と地続きにありながら、そこからちょっとズレる、そこからの小さな裂け目を扱おうとしている感じがする。その含みを最大限に理解したうえで、しかしかろうじて聞くと、アイロニーの問題が表象不可能性のような議論に接近する可能性もなくはないのかなという気もするんですけど、いかがでしょうか。

星野―表象不可能性という話もちょっと復習的に見ていきましょうか。大まかに言うと、崇高というテーマそのものは八〇年代に一度リバイバルして、九〇年代にふたたび陳腐化したのではないかと思っています。いまから振り返ると、それ

44―**出典**
「2010－2011年の都市・建築・言葉　アンケート」
https://www.10plus1.jp/monthly/2011/01/issue1.php#507

45―**クロード・ランズマン**
一九二五－二〇一八。フランスの映画監督・作家。第二次世界対戦中、対独レジスタンスに参加。五〇年代にはサルトルら哲学者と交流し、作家やジャーナリストとして活躍。七〇年代以降はドキュメンタリー映画を手がけはじめる。とりわけ、ホロコーストを扱った九時間超の作品『ショア』は世界中で反響を呼ぶ。その他の監督作品に『不正義の果て』など。

は何よりも崇高が表象不可能性の問題と結びついてしまったからだと思うんですね。自分の知るかぎり、表象不可能性の問題がさかんに論じられるようになったのは、クロード・ランズマン[45]の『ショア』（一九八五）[46]以来のことだと思います。いかなるフィクションもホロコーストの残酷さを描くことはできないという前提があって（当時、とくに槍玉に挙げられたのはスティーヴン・スピルバーグ[47]の『シンドラーのリスト』[一九九三][48]でした）、それに対してランズマンの『ショア』は、ホロコーストについて適切に語ることができない関係者たちの沈黙を通じて、その表象不可能性を提示するという仕立てになっていた。そこで、リオタールの崇高論などに顕著ですが、崇高＝表象不可能性という図式がつくり上げられてしま

46｜**『ショア』**（**一九八五**）
クロード・ランズマン監督によるユダヤ人虐殺に関するドキュメンタリー映画。一一年間にわたる撮影期間を費やしてつくられ、上映時間九時間二七分に及ぶ。大量虐殺の「表象不可能性」をめぐるランズマンの立場から、再現映像や記録映像のたぐいを用いらず、生き延びたユダヤ人や元ナチスメンバーらによる証言のみで構成するという手法が取られている。

47｜**スティーヴン・スピルバーグ**
一九四六年生まれ。アメリカの映画監督・映画プロデューサー。一九六九年にユニバーサル社と専属の契約を結び、以降『ジョーズ』、『インディ・ジョーンズ』、『E.T.』、『ジュラシック・パーク』など、さまざまなジャンル映画を手がけ、ハリウッド随一のヒットメーカーとなる。その他監督作品に『未知との遭遇』、『レイダース／失われたアーク《聖櫃》』、『シンドラーのリスト』など。

う。表象不可能性というのは、カントの崇高論で言われる理性理念の「表出不可能性」に対応するものですが、いまから振り返ってみると、ここで多くの人々が決定的に思考停止に陥ってしまったという印象がある。

二〇〇〇年代に入り、そのような傾向に対してはっきり「否」と言ったのがジャック・ランシエール[49]とジョルジュ・ディディ゠ユベルマン[50]でした。ランシエールは『イメージの運命』(二〇〇三)[51]のなかで、ランズマンやその信奉者たちが言っている表象不可能性というのは、実際には表象の禁止にすぎないと指摘している。表象不可能性というのは事実のレベルにおける可能性の問題だから、ショアが表象できないなどということは原理的に考えればありえない。ゆえに、ランズマン周辺の表象不可能性をめぐる議論は、実は表象の禁止を訴えているにすぎない。しかもそれは、その表象不可能な出来事を唯一(否定的に)表象できるのが『ショア』であるという、否定神学的な構図にすらなっていている。ランシエールが言っているのは、いかなる出来事もなんらかの仕方で表象可能なのだから、むしろそれをいかなる方法によって表象するかが重要である、というごくあたりまえの話なんですけどね。

池田―その意味で言うと、表象のための技術が問題である、という今回の修辞の話ともつながっていくわけですね。

48―『**シンドラーのリスト**』(**一九九三**)
スティーヴン・スピルバーグ監督による映画。ナチスドイツ占領下のポーランドを舞台に、ユダヤ人大量虐殺から多くの命を救った実在のドイツ人実業家オスカー・シンドラーを描く。第六六回アカデミー賞で作品賞をはじめ七部門を受賞、スピルバーグは初の監督賞を獲得した。

星野――そうですね。ディディ＝ユベルマンは『イメージ、それでもなお』（二〇〇三）[52]において、ゾンダーコマンド（強制収容所内で死体処理を行なわされた囚人）によって隠し撮りされたアウシュヴィッツの四枚の写真がもつ意義を最大限に強調しています。ランズマンのように、収容所の写真が現実に存在するという事実から目を背けるのではなく、なおかつそれをトリミングのような手段によって美化するのでもなく、そこから命がけでもぎ取られたイメージを全力で擁護する。

そもそもの発端となったのは、二〇〇一年にパリで開催された「収容所の記憶」

49｜ジャック・ランシエール
一九四〇年生まれ。アルジェリア出身のフランスの哲学者。ルイ・アルチュセールによる編著『資本論を読む』に参加するが、のちに決別。七〇年代後半には雑誌『論理的叛乱』を主宰。以降、平等や解放を軸に、美学と政治をめぐる独創的な著作を数々と発表している。著書に『無知な教師』、『感性的なもののパルタージュ』、『イメージの運命』など。

50｜ジョルジュ・ディディ＝ユベルマン
一九五三年生まれ。フランスの美術史家・哲学者。今日のフランスでもっとも影響力のある美術史家のひとり。ヴァルター・ベンヤミンやアビ・ヴァールブルクの影響のもと、イメージ論や人類学、精神分析といった多様な領域を横断しながら、従来の美術史の方法を刷新する著作を数多く発表している。著書に『残存するイメージ』、『時間の前で』など。

51｜『イメージの運命』（二〇〇三）
ジャック・ランシエール『イメージの運命』堀潤之訳、平凡社、二〇一〇年。「イメージ」や「表象」を主題とした芸術論。「表象的体制」と「美学的体制」の区別という独自の視座から、文学、絵画、映画といった複数ジャンルの作品を取り上げ、美学と政治をめぐる議論を展開。

という展覧会でした。それまで象徴的に利用されるにとどまっていた収容所の資料を、同展はなるべくオリジナルに近い姿で（たとえば従来なされていたようなトリミングを排して）提示した。これにランズマンが激昂し、そのカタログに寄稿していたディディ＝ユベルマンと、ランズマン陣営に属するジェラール・ヴァジュマン[53]らとの論争が二〇〇〇年代初頭に勃発する。いま挙げた固有名からもわかるように、以上の表象不可能性をめぐる論争は実はかなりローカルなものなのですが、いずれにせよそれらを経て、崇高の概念もまた表象不可能性をめぐる議論からようやく切り離されつつある、というのがおおよその現状認識です。で、その上でもう一回、表象不可能性の問題と絡めて考えないといけない、というのがさきほどの池田さんのご質問の主旨でしょうか。

池田――というよりも、アイロニーを通じて言語が言語として成立しているリミットに至り、言語が勝手に作動していくというのは、合理的な理解の底が抜けるということでもあるので、理解しえないということを強く読むとしたら表象不可能性の議論と思われかねない部分もあるのかな、と。そうやって修辞的なものが瓦解する手前で、崇高をめぐる形象的なモチーフが取り上げられている点が重要だと思うんです。

52――**『イメージ、それでもなお』（二〇〇三）**
ジョルジュ・ディディ＝ユベルマン『イメージ、それでもなお――アウシュヴィッツからもぎ取られた四枚の写真』橋本一径訳、平凡社、二〇〇六年。同胞であるユダヤ人の死体処理などに従事したゾンダーコマンドによって絶滅収容所内で隠し撮りされた四枚の写真を緻密に読解しながら、ジェラール・ヴァジュマンら大量虐殺の表象不可能性を強調する論者たちへの論駁を展開する。

崇高と曲線的形象（1）――放物線

池田―なので、この本のなかにアイロニー的な決定不可能性からの出口があるんじゃないかと、そういう見立てができるでしょう。たとえばドゥギーをめぐる議論では、超越論的に上へと向かう動きと、それが経験的に落ちていく、その中間を頂点として放物線を描くような、パラボリックな崇高という概念が提示されています。このドゥギーのパラボリックに倣う仕方で、修辞学のリミットから引き返しながら、別のいくつかの出口を見つけられるように思う。ドゥギーによるパラボリック（parabolique＝放物線状）とラクー＝ラバルトによるイペルボロジック（hyperbologique＝双曲線状、誇張論理的）というふたつが提示されていて、これらはいまだ修辞の瓦解にまで至ることなく、曲線的な形象を保っているわけですね。

星野―ドゥギーの章（第七章）で主題化している「パラボリック」というのは「放物線状の」という意味なので、文字通り頂点が上にくるマイナスの二次関数の形です。もう一方のラクー＝ラバルトの章（第八章）で論じている「イペルボリック（hyperbolique）」というのはフランス語で「誇張（法）的な」という意味で、これは数学の用語だと双曲線になる。そういう意味では、拙著における崇高論のふたつの現代的なバリエーションは、両方とも形象的なイメージをもっています。

53｜**ジェラール・ヴァジュマン**
一九四九年生まれ。フランスの精神分析家。パリ第八大学で教鞭を執るほか、眼差しの歴史と理論研究センター所長などもつとめる。ラカンの理論を主軸に据えながら、イメージや眼差しを主題とした著作を発表している。著書に『窓―眼差しと親密さの年代記』、『声』など。

ドゥギーの言っていることはわりとわかりやすくて、崇高というのは語源的に高さ、頂上へと向かうことが定められている。ギリシア語の「ヒュプソス（ὕψος＝崇高）」というのはもともと「高さ」という意味だし、それに対応するラテン語の「スブリミス（sublimis）」にも「上昇」のニュアンスが含まれています。しかし、とくに近代以前であれば、当然そこには神との関係がありますから、われわれの世界に対する超越的な世界という二元論が想定されてしまう。そうなると、崇高のもつ超越の運動が、人間的な秩序から神的な秩序へと超越的に突き抜けていくイメージが与えられてしまうわけです。ドゥギーは、そこで超越性をうまく回避しようとする。崇高というのは、思考（詩や哲学）が高みへと上昇していく人間的な運動であるというわけです。それは限りなく神的なものであるかに見えながら、最終的に上方へと突き抜けないというか、放物線の極点のように一瞬だけ上昇と下降のベクトルが釣り合う、その一点だけを求めるというような思考なわけですね。

池田―上昇と下降の均衡点で宙吊りになると。

星野―そう、宙吊りになる。それで墜落したらまた上昇すればいい。そういう無限の往復運動のような、ある意味ではごく真っ当なことを言っていると思うんですよ。つまり高みを目指せと。それは最終的にはご破算になるけれども、またも

54―ジャネット・カーディフ&ジョージ・ビュレス・ミラー
ジャネット・カーディフは一九五七年生まれ、ジョージ・ビュレス・ミラーは一九六〇年生まれ。ともにカナダ出身の芸術家。九五年より共同制作を開始、以降世界各地で作品を発表している。音声や映像をはじめとしたさまざまなメディアを活用した没入型のインスタレーションで知られる。作品に《40声のモテット》、《パラダイス・インスティテュート》など。

う一度やれという、シーシュポスの神話のような話なわけです。

池田―さきほど美学的崇高の話で池田亮司を出されたけれど、その傍にひとつの例を挙げておきたいと思うんです。ジャネット・カーディフ&ジョージ・ビュレス・ミラー[54]というアーティストの《四〇声のモテット》（二〇〇一）[55]という作品なんですが、四〇台のスピーカーを並べて、それぞれのスピーカーから四〇人それぞれの聖歌隊の声が発せられて合唱となる。神に捧げる歌が始まり、その終わりへと向けて盛り上がっていきながら、歌が終わって沈黙が訪れる。ここまでは普通の意味で崇高なのですが、沈黙の後しばらくすると、四〇台のスピーカーから歌い終わった聖歌隊メンバーたちの雑談が聞こえてくるんですね。まったく日常的というか形而下的なノイズが立ち現れる。やがてまた高みに向かって歌が始まるわけですが、これはすごくパラボリックな意味での崇高と親和性が高いんじゃないかと思うんですよ。垂直に高みへと向かう運動から横に逸れながら曲線化する感じ。

星野―まさにドゥギーの話を例示したような作品ですね。

55―**《四〇声のモテット》（二〇〇一）**
ジャネット・カーディフ&ジョージ・ビュレス・ミラーによるサウンド・インスタレーション。一六世紀の作曲家トマス・タリスによる多声楽曲『我、汝の他に望みなし』を聖歌隊四〇人が歌った歌声を個別に録音し、四〇個のスピーカーで再構成した作品。スピーカーが楕円形に配置された展示空間内を自由に歩き回ることで、鑑賞者は複雑な聴取体験を行なうことになる。

崇高と曲線的形象（2）——双曲線

星野―それに比べるとラクー＝ラバルトのほうがむずかしいかな。単純に言ってしまうと、ラクー＝ラバルトはヘルダーリンの詩を論じながら、極大と極小は入れ替え可能だという話をしています。もっとも賢いものがもっとも狂っており、もっとも狂っているものがもっとも賢いという、極大と極小がある特権的なポイントにおいて入れ替え可能になってしまうという事態です。極端に知的な人は狂人と見分けがつかない、逆もしかり、ということですね。そうしたことを双曲線の形象に託して論じている。

池田―ここでは誇張のことも言われていますね。

星野―誇張の問題はドゥギーとラクー＝ラバルトの議論の両方に出てくるんですが、それぞれ異なる論理が展開されている。ラクー＝ラバルトの場合、誇張が限度を過ぎると、本来狙われていた効果とはまったく反対のものに転じてしまうというポイントが強調されています。

池田―節度が必要であると。

星野―そう、ほどほどに誇張することが誇張法には必要であると。ただし、これはロンギノスを含めた古代の修辞学において、すでに広く共有されていた戒めで

56―**デモステネス**
前三八四―前三二二。古代ギリシアの政治家・弁論家。アッティカ十大雄弁家のひとりに数えられる。法廷演説家として出発したのち、政治家となる。アテナイの指導者として反マケドニア運動を主導した。とりわけ『オリュントス情勢について』や『ピリッポス弾劾』などの議会弁論は古来より読み継がれた。

はありますが。

池田——ラクー＝ラバルトでおもしろかったのは光の比喩で、これはロンギノスから来ているのでしょうけれど、修辞の技術と真理との関連で、ぼんやりとした光が偉大な光に打ち消される、ということを言う。偉大な光というのは崇高な真理の光であるわけですが、その光を可視化するのは人間的な技術の光なわけですね。この人間的な技術を、崇高の光が覆い隠す、と。しかしこれは変な話でもあって、そもそも技術なしには真理そのものが現れてこないわけですから。いずれにせよ、技術の人為的な光と真理の自然的な光とが対立するのではなく、ひとつのキアスム的な関係を結ぶ。人為的な光は崇高な光を生み出しながら、しかしその崇高な光によって隠されなければならない、というこれも節度の問題につながるわけですね。

星野——ロンギノスに即して言うと、偉大な光に相当するのが「思考」と「パトス」という、崇高のなかでも生得的な要因とされるふたつの要素です。思考とパトスの輝きが、技術的な細工を覆い隠してしまう、と。

ラクー＝ラバルトのおもしろいところは、ロンギノスの著作に光というモチーフが繰り返し出てくる点に注目していることです。いま挙げたような「偉大な光」だけではなくて、たとえばデモステネス[56]に触れるところで「落雷のような」

という言葉が出てきたりもする。光そのものが崇高であるということの前提から、従来とは違った仕方で美と崇高の関係を練り上げていこうとする。崇高さがすべてを覆い隠す特権的な光であるとするなら、崇高なものは崇高なものとして現れてはいけない。もっとも完璧なテクネーはピュシスのように見え、もっとも完璧なピュシスはテクネーのように見えるという、その相互的な関係が極まった地点が、まさしく崇高な地点だというわけですね。ラクー＝ラバルトによれば、崇高は美が美であることを可能にする不可視の光なのだから、崇高がそれとして認識されてしまったら、もはやそれは崇高ではない。それがさきほどの誇張法の議論につながってくる。

池田——そこで極大値と極小値が反転する、と。完全な真理こそが技術のように見えてしまうという逆説が成立する。このピュシスとテクネーのあいだの相補的な関係については、星野さんの本の第I部で、ロンギノスの崇高論を再読しながら丁寧に取り出されています。基本的に真理（ピュシス）と人為的な技術（テクネー）との関係を上下関係、あるいは対立関係として考えがちなんだけれども、ロンギノスのテクストでは、それらが絡み合う相補的な関係、強く言えば共犯関係をなしている。

パンタシアーと情念の伝達

池田―第Ⅰ部のロンギノスを再検討したパートで、いちばんの毒というか、危険な香りのする部分が、パンタシアーと情念（パトス）をめぐる第二章かなという気がしました。修辞を通じて情念の伝達が起こる。パンタシアーとはそもそも特定の具体的な現実に対応する「表象」という意味だったそうですが、ロンギノスのテクストにおいて現れてくるその概念には、実在的現実に紐づけられない「空想」や「幻覚」にも近い意味が含まれていくことになる、と。

星野―パンタシアーとパトスの問題を扱った第二章は、この本でもっとも思想史的な色合いが濃い部分かと思います。「パンタシアー（phantasia）」というのは非常に重要な概念で、これはのちにラテン語の「イマギナチオ（imaginatio）」という言葉に翻訳されるものです。いまで言うところの「イマジネーション」ですね。一方でパンタシアーという言葉は、近代の言葉だと「ファンタジー」という言葉に継承される。このパンタシアーとイマギナチオというギリシア・ラテンの言葉が、今日の「想像力」「空想」「イメージ」という言葉すべてに流れ込んでいる。この本ではそれほど紙幅を割いてはいませんが、この問題はロマン主義の時代におけるイメージの位置づけにも深く関わってきます。

つまり、どのような種類の表象や想像力をよしとするかというパラダイムには、時代によって一定の移り変わりがある。たとえば、この章ではストア派[57]の話を長々としているのですが、ストア派の場合、理想的な表象というのは現実にその対応物を持った表象である。彼らの言葉で言うと、「把握された表象」というのがありうべき表象であり、ひるがえって実在的な対応物を持たない表象は、幻覚や錯覚として劣位に置かれる。それがポジティヴなものに転じていくのが、のちのボードレール[58]においてであったりする。しかし、さかのぼればロンギノスにおいてもすでに、そのような空想や幻覚を生ぜしめるような想像力が賛美されている。この意味において、ロマン主義的なイメージ論の萌芽として『崇高論』を読みなおすことも不可能ではない（もちろんこの点については少なからぬ先行研究が存在します）。そのうえで言うと、たしかに池田さんがおっしゃったように、これはなかなか危うい議論でもある。つまり、文学的な想像力について考えるときに空想なり幻覚なりを称揚するのはわかるけれども、実際にみんながみんな幻覚を見ていたらまずいわけですよね。

池田──だから、近代になってボワロー[59]がロンギノスの仏訳を行なったとき、その空想や幻覚に当たる部分を脱臭しつつ、新古典主義的な理想に沿うように書き換える、みたいなことが行なわれたりする。

57｜ストア派
紀元前三世紀初頭にキプロスのゼノンにより始められた、ヘレニズム哲学の一学派。ゼノンの活動が、主としてアテナイの「彩色画の柱廊（ストア・ポイキレ）」でなされたことに由来する。快楽を否定し欲望を抑制することを説いた倫理学、のちの命題論理を先取りするような内容を備えた認識論や論理学、ロゴスと質料を基礎とした自然学などを展開した。

58｜シャルル・ボードレール
一八二一─六七。フランスの詩人、批評家。一九世紀を代表する詩人のひとり。生前刊行された唯一の詩集『悪の華』をはじめとして、ヴェルレーヌやマラルメら象徴派詩人たちに大きな影響を及ぼし、近代詩に革新をもたらした。批

星野―そう、ボワローも、そしてバークも、まさにその部分を『崇高論』から排除しているわけです。ボワローは『崇高論』の翻訳において、バークは『崇高と美の観念の起源』の「心像」をめぐる議論のなかで、同じように言語芸術からイメージを排除するという方向に向かっている。ある意味で、それは『崇高論』のもっとも危険な部分が初期近代において排除されたとも言えますね。

池田―言葉を通じたイメージは、ある現実の再現としてのミメーシスと思われがちなんだけれど、ここではイメージのポイエーシス、あるいは変形と言ってもいいかもしれないけれども、そういう生成の次元がおそらくある。

　具体的に表現の問題でおもしろいなと思ったのは、複数の言葉が圧縮される例ですね。何のテクストだったか、嵐のなかの水夫たちの表現で、ふたつの言葉がひとつに圧縮されて新たな言葉を生成しながら、切迫した場面のパトスが伝達される。こういう具体的な技術とパトスの伝達が強く結びついているところなどは、表現論としてすごくおもしろい。

星野―ホメロスですね。具体的に言うと、ホメロスが恐怖におののく水夫たちを描く場面で「死の底から」という表現を用いているのですが、そこでは「hupo」と「ek」つまり「under」と「from」に相当する前置詞を圧縮して、「hupek」というひとつの新たな前置詞がつくられている。

評家としても卓抜な見識を示し、モダニズムの出発点となるテクストを多く残した。その他の著書に『パリの憂鬱』など。

59｜**ニコラ・ボワロー＝デプレオー**　一六三六―一七一一。詩人・批評家。モリエールやラシーヌらの作品を理論づけ、フランスにおける古典主義文学の成立に寄与した。ロンギノスの『崇高論』の仏語訳を手がけ、近代における崇高概念への注目の火付け役となる。また、いわゆる「新旧論争」では古代側に立ち論陣を張った。著書に『詩法』、『諷刺詩』など。

池田―いいですね。切迫しすぎて言葉がくっついてしまう（笑）。

星野―この前置詞の圧縮というのは、まさしく水夫たちが抱いているパトスの迫真的な表象＝再現前（representation）であると、ミシェル・ドゥギーが指摘しています。このような文章表現上の技術こそが、あるパトスを迫真的に、かつミメティックに表現することができる。それはミメティック（模倣的）であると同時にポイエティック（創造的）な技術でもあり、こうした技術の次元がパトスをめぐる議論においても重要になってくる。

平準化する世界と修辞

――この本でとくにおもしろいと思ったのがアイロニーの話です。これにいちばんぴったり来るのは京都人の「いけず」だな、と（笑）。

星野―本当にそうですね（笑）。京都的な「いけず」のように高度なレトリックが一般化した文化圏って、よく揶揄的に非難されるじゃないですか。いわゆる「ぶぶ漬け」みたいな。つまり、それは端的に嫌味なものだと思われているんだけれども、ぼくはその「ぶぶ漬け」を擁護するスタンスを取りたいんですよ。はじめの同時代的な状況という話に戻ると、いま高度なレトリックというのはほとんど

60―**國分功一郎**
一九七四年生まれ。哲学者。専門はデカルトやスピノザら一七世紀の哲学、ドゥルーズやフーコーら二〇世紀フランスの哲学。社会や政治のアクチュアルな問題を扱った著作も多く発表しており、狭義の学術的な研究にとどまらない活動を展開している。著書に『暇と退屈の倫理学』、『中動態の世界』、『ドゥルーズの哲学原理』など。

機能不全に陥っている。エッセイを書くにしても、講演をするにしても、ごく単純なメッセージを打ち出さなくてはいけなかったりする。

本来、きわめて複雑な肌理をもっていた言語が、いま急速に力を失いつつある。國分功一郎[60]さんが最近「想像力」の問題を論じていますが、そこではよくジョルジョ・アガンベン[61]の言語をめぐる議論が引き合いに出されています。アガンベンもやはり同じようなことを言っていて、つまりわれわれはもう言語を話していないのだ、と。そのとき「言語」と言われているのは、かつて用いられていた高度にレトリカルな言語です。それに対して現代のわれわれは、Facebookのいいねだったり、LINEのスタンプだったり、ほとんど記号化された言葉しか使っていない。それに対してぼくの本は、言語の修辞性をあくまで強調する立場を取っている。だから結果的にそれは、ある意味で「ぶぶ漬け」的な言語を堅持していこうとする側に与しているんだろうなと思います。

やや話が逸れるかもしれませんが、古典ギリシア語ってやはり非常に高度な言語なんですよね。だから学習もむずかしいんだけれど、他方でそれによって可能になったことも沢山ある。いまのグローバルな言語といえばもちろん英語ですが、英語って西欧の諸言語のなかでもアクセント記号を放棄した例外的な言語なんですよね。ドイツ語のようなウムラウトも、フランス語のようなアクサンテギュや

61｜ジョルジョ・アガンベン
一九四二年生まれ。イタリアの哲学者。古代から現代までの広範なテクストの精緻な読解に基づきながら、形而上学、言語、美学、政治など多様な領域にわたって独創的な思想を練りあげている。とりわけ、「主権権力」や「生政治」といった概念を論じた「ホモ・サケル」シリーズは世界的に注目を浴びている。著書に『ホモ・サケル』、『アウシュヴィッツの残りのもの』など。

アクサングラーヴもない。グローバルな言語としての平準化された英語が、かつてのラテン語のように、われわれのコミュニケーションの可能性を担保するための言語として世界中で流通している。

池田―英語によって平準化された言語環境がグローバルに広がるなかで、複雑なコンテクストをすっ飛ばして誰にでもわかる言葉が力をもってしまう。この本は、そうした言語の単純化に抗いつつ、なお言語のもつ表現の力を問いなおすものであるわけですね。

星野―これも余談めいた話ですが、二〇世紀後半のフランスの思想家たちが、なぜああいう言語を使ったのか。ものすごく抽象的で晦渋な文章だと、よく批判されるじゃないですか。これはかつて内田樹[62]さんが書いていたことなんですが、ああいう文章術がどこから来ているかというと、実はナチスによる占領時代にさかのぼるというわけです[63]。戦時中においては、あることを文字通りに言うことが死を意味する時代があったということでしょう。それはおそらく日本にも言えることだったと思いますが。

――京都のような土地も似ていますよね。都だからつねに権力者がいるわけで、町衆は自分たちの言動に常に気を配っていた。

星野―そうですね。それでもなお言うべきことがあるときにどうするかといえば、

62｜**内田樹**
一九五〇年生まれ。思想家・武道家。レヴィナスをはじめとするフランス現代思想を専門としつつ、教育論、武道論、ユダヤ文化論、映画論など幅広く著作活動を行なう。合気道道場「凱風館」を主宰していることでも知られる。著書に『ためらいの倫理学』、『日本辺境論』、『街場の教育論』など。

63｜**出典**
内田樹『他者と死者――ラカンによるレヴィナス』海鳥社、二〇〇四年、一五二―一五六頁。

比喩を駆使してレトリカルに言うしかない。この本で書いたことを現実の政治にそくして考えてみると、比喩の問題というのは言葉遊びの問題ではまったくなくて、それが生死を分かつものになる局面があると思うんです。今回の本ではそういうことは書かなかったけれど、本来そういうところまで考えていく必要があると思っています。

池田―言語なり表現なりの方法的な次元を擁護するというのは、最近では見られなかった立場だと思うので、そこはすごくおもしろいと思いますね。

星野―その意味で、この本のスタンスは昨今の流行りものであるところの思弁的実在論とは真っ向からぶつかるところがある。二〇世紀の哲学は、ウィトゲンシュタインあたりを境にして、言語をその中心に据えるという「言語論的転回」に支えられていたわけですが、現代ではそこからもう一回ターンしていて、言語から実在へ、という局面になっている。

池田―言葉に疲れたのでモノに帰れという。まあぼくもそれに近いのかもしれないけれど（笑）。

星野―そのなかで、ぼくはあくまでも言語がもつ修辞的な側面を強調するという立場を取っているので、おそらくその点においては思弁的実在論とか新しい唯物論という現象に対して、一定のブレーキをかけようとしている本だとみなされるかもしれない。

池田―なるほど。それはおもしろい配置になると思いますね。

パラボリック、プロトタイプ、パラマウンド

池田―思弁的実在論へのリンクも見すえつつ修辞学的崇高の話に戻ると、パラボリックの議論はエリー・デューリング[64]の言う「プロトタイプ」という議論ともどこかつながるんじゃないかなと思うんです。デューリングは現代アートにおけるコンセプチュアルアートや関係性の美学に代表されるプロセス主義のアートを批判しています。物体としての作品が存在しておらず、そのプロセスを提示したり、それをめぐる資料を展示したりするだけだ、と。これは現代美術の展示や芸術祭などでも散見されるタイプの提示の仕方であるわけですが、こうした現代美術はその外見に反して、実のところロマン主義だろうというわけです。

ようするにデューリングは、プロセスを通じて到達しえない理念を暗示するにとどまる現代美術の傾向をロマン主義と呼んで批判するわけですが、これは端的に美学的崇高の問題であると言えるでしょう。それに対して、どのように作品化する次元を再起動することができるのかというときに、オブジェのような完全な

64―**エリー・デューリング**　一九七二年生まれ。イラン出身のフランスの哲学者。「時空」概念を中心に、哲学、科学、美学といった複数の領野をまたいだ研究を行なっている。現代フランス哲学国際研究センターのメンバーや『クリティック』誌の共同編集なども務める。著書に『つなぎ間違い』、『形而上学』など。

る自律性に戻るということではなく、しかし未決定的なプロジェクトに開くということでもない、オブジェの論理とプロジェクトの論理とを掛け合わせるのがプロトタイプである、と。このプロトタイプの典型的な例として挙げられるのが、パナマレンコの飛行船のプロジェクトです。ここではあくまでも実際に飛ばすことが大事である、と。やはりプロトタイプなので落ちて来ざるを得ないわけですが、しかしまた次なるプロトタイプとして飛行船を再上昇させる(笑)。

星野──デューリングのプロトタイプ論のポイントって、いま池田さんが整理されていたように「作品化する」という部分ですよね。プロトタイプというのは純然たるプロセスではない。あくまでも作品として仮固定され、一定の形を与えられるところに意義がある。しかし、同時にそれは決定的な作品の完成とも違う。それがまたプロジェクトを通じて、新たな未来に開かれているというところにポイントがあるのかなと思います。

池田──ええ。

星野──これも雑駁な言い方になりますが、こうしたデューリングの議論の中心にはベルクソン[65]主義があると思っていて、プロトタイプ論も潜勢態と現実態の議論を変奏したものだという印象をもっています。モダニズム的な作品概念が、ある決定的な固定、つまり崇高とも超越的とも言いかえうるような特異点を指向

65｜**アンリ・ベルクソン**
一八五九―一九四一。フランスの哲学者。既存の理解を根本的に覆すような、「持続」概念を軸にした時間論や、生物の進化を因果的なものではなく、予測不可能な「生命の飛躍」による創造的なものとしてとらえた生命論など、独創的な思想を構築した。著書に『意識に直接与えられたものについての試論』、『物質と記憶』、『創造的進化』など。

するのに対して、デューリングの場合は、プロトタイプという開かれた作品のあり方を擁護しているという点で、ドゥギーの「パラボリックな超越」のように、登りつめては落ちていくという循環的なイメージをともなっていると言えるかもしれない。

池田―そうですね。モダニズム的な決定性を外へ開くと同時に、ポストモダンなプロセス主義も実のところロマン主義だろう、とする点はおもしろいと思うんですよ。つまりモダニズム的な自律性を相対化すると同時に、プロジェクト的な未決定性からも距離を取って、その中間に仮固定の状態としてある、いわば模型のようなものとしてのプロトタイプを重視する。パラボリックに戻って言えば、たんに水平的に墜落すればよいということではなく、やはり高みを目指す必要もあるだろう、と(笑)。

――そうした盛り上がりからの墜落ということで言うと、森村泰昌[66]に《なにものかへのレクイエム》(二〇〇六―)[67]というシリーズがありますよね。レーニン、三島由紀夫、ヒトラー(を演ずるチャップリン)といった男たちに扮して、革命や政治演説など、彼らの人生における頂点にあたるシーンを再現する。大阪人である作家が彼らを模倣しながら、いわば滑稽に陥るわけですが、それは「カリカチュアとしての崇高」と言いえませんか。

66―**森村泰昌**
一九五一年生まれ。芸術家。古今東西の名画の登場人物や歴史上の人物などに扮した写真によるセルフポートレート作品で国際的に知られる。「西洋美術史になった私」シリーズや「女優になった私」シリーズなど、西洋と東洋、男性と女性といった二項対立を揺さぶる作品に一貫して取り組んでいる。作品に《肖像(ゴッホ)》、《セルフポートレート(女優)/バルドーとしての私・2》など。

池田―たしかに森村泰昌のあの男装するシリーズは、わかりやすくパロディ的ではない。どこかアイロニーが決定不可能なところはありますね。
星野―そうですね（笑）。
池田―マジでやっているのかネタでやっているのか、よくわからないところがある。千葉雅也［68］さんが森村泰昌論のなかでパラマウンド（paramound）という概念を提起されています［69］。絶頂という意味でのパラマウント（paramount）、これは崇高的な垂直性と言っていいと思いますが、ファルス的な垂直性から横にズレ

67―**《なにものかへのレクイエム》（二〇〇六―）**
森村泰昌が二〇〇六年より発表している写真・映像作品シリーズ。八〇年代以降の森村の作品は女性に扮するものが多かったが、本シリーズでは一転して二〇世紀を代表する男性たちが変身対象となっている。三島やゲバラ、アインシュタインなどのイメージをセルフポートレートによって召喚しながら、二〇世紀における「男性的なるもの」をめぐる問いに取り組む。

68―**千葉雅也**
一九七八年生まれ。哲学者・作家。ドゥルーズをはじめとしたフランス現代思想の研究を主たる専門としつつ、美術や文学、ファッションなどさまざまな領野に関わる批評活動も行なう。近年では小説も発表しており、作家としても注目を集める。著書に『動きすぎてはいけない』、『勉強の哲学』、『デッドライン』など。

69―**出典**
千葉雅也「パラマウンド――森村泰昌の鼻」、『意味がない無意味』河出書房新社、二〇一八年、五一―七五頁。

たところで誇張的に膨らむマウンド（塚）のようなものとしてパラマウンドがあると。

星野―千葉さんの「パラマウンド」は本当にすごい論文ですよね。森村泰昌の作品の脱構築不可能なポイントは「鼻」であって、そこにはもちろん盛り上がりというイメージとの重ね合わせもあるわけですが、何者にでも化けられる森村さんの顔のなかで、ただひとつ「森村泰昌」のシーニュがあるとすれば、それは鼻であると。そこからラカンに接続しながら、盛り上がってズレるという思弁的な議論が展開される。いまおっしゃったアイロニーの問題、もしくは崇高から滑稽へという本書の議論とも、大いにつながりうる論点だと思います。

修辞学と感性論、思弁的美学への通路

池田―表象不可能性の議論の延長上で、お聞きしたいと思います。さきほど言及されたように、たとえばアウシュヴィッツのような悲惨な出来事について、表象不可能性の手前でひたすら倫理的に沈黙するしかない、という言説が一方にあり、これに対してランシエールが強く批判的な立場を取っている、と。まさに『ショア』が典型なわけですが、証言者にある種の無能力を強いる、証言の不可能を強

70―『**解放された観客**』（**二〇〇八**）
ジャック・ランシエール『解放された観客』梶田裕訳、法政大学出版局、二〇一三年。『無知な教師』（一九八七）での議論を発展させながら、現代社会における「観客」の問題を扱った論集。プラトンからドゥボールに至るまでの「受動的な存在としての観客」という伝統的な観念に批判を加えながら、知性の平等に結びついた主体としての観客の可能性を論じる。

いることになる。

美学というのはしばしば、なんというか政治・社会的な問題から乖離した、エリート主義的で現実に無関心な観照のようなものとしてとらえられがちなわけですが、むしろランシエールは政治の根底の部分に美学＝感性論を据えている。『解放された観客』〔70〕でも出てくるフランス二月革命のさいの労働者新聞の記事で言うと、板張り職人はふだん仕事によって特定の時間と空間に結びつけられているわけですが、この職人がいままさに板張りをしている部屋のなかで、まなざしを独占し、自分の部屋であるかのように空想をめぐらせる、と。こうしてある空間をまなざすことは権力者に独占されてきたわけですが、ここで職人は所与の感性的な分配を逸脱しつつ別の感性、別の身体を手に入れている。そして政治とは、こうした感性的な所与の分配をたえず再編成しなおすことなのだ、と。この意味で政治の根底に感性論がある、と言われます。今回の星野さんの本では、基本的に言語の問題を扱っているので、こうした感性論的な議論とは一定の距離を置いているかとも思うのですが、このあたりの問題との接点についてはいかがでしょうか。

星野――すごくありがたい補助線を引いていただいたと思います。おっしゃるように、この本では修辞学的崇高というものを強調するために、美学的＝感性論的な議論とは完全に距離を取っている。いまのご指摘は、それでもなお両者になんらかの関係がありうるかというご指摘だと思うのですが、まさに池田さんが挙げられたランシエールの議論に即して、ひとつ例を示しておきたいと思います。これは『コンテンポラリー・アート・セオリー』(二〇一三) 所収の拙論 [71] で書いた話でもあるのですが、ティトゥス・リウィウス [72] の『ローマ建国史』[73] に、平民たちが貴族たちに迫害される場面がある。平民は貴族に対して交渉を試みるわけですが、貴族にとって平民は、自分たちと同じ言葉を話す対等な人間であるとは考えられていない。では、そこで自分たちの言葉をどのようにして聞かせるかと言えば、貴族たちと同じように神託を唱えるわけです。儀式が始まるときの祝詞のような、その神託の言葉を平民たちは口にする。それによって、貴族たちに自分たちが対等な人間であることを認めさせようとする。これはやはり政治とレトリックに大きく関わるポイントだと思うんですね。

ここから、なぜランシエールが「政治の根底には美学=感性論 (エステティクス) がある」と考えたのかといえば、そこには「声」の問題、すなわち貴族が平民の「声」をそれとして聞くか否かという問題があるからです。政治の根底にある美学=感性論というのは、ここでは「声」の問題としてとらえられている。ある声を人間の言葉として聞くか、あるいは野蛮人や動物の雑音として聞くか、という

71｜**出典**
星野太「ブリオー×ランシエール論争を読む」、『コンテンポラリー・アート・セオリー』イオスアートブックス、二〇一三年。

72｜**ティトゥス・リウィウス**
前五九頃–前一七。共和政末期、帝政初期の古代ローマの歴史家。ラテン文学の黄金期を代表する作家とされる。皇帝アウグストゥスの庇護下のもと、ローマ建国からアウグストゥスの世界統一にいたるまでの歴史を記述した『ローマ建国史』で知られる。『ローマ建国史』以外にも著作を著したと伝えられるが、現在では散逸している。

73｜**『ローマ建国史』**
リウィウス『ローマ建国以来の歴史』(既刊九巻) 毛利晶ほ

判断の背後には政治的な決定がある。つまりある分節された音を、言語として聞くか雑音として聞くかという判断の背後には、そこで優位に立つ人間の恣意的な決定が存在するというわけです。『ローマ建国史』の平民たちは、自分たちの「言語」が貴族たちのそれと同じ「言語」であるということを認めさせるために神託を唱えた。この問題は、美学の問題と修辞学の問題を、ふたたび結びつける重要なポイントだと思うんです。

池田――ランシエールのそれが人間的なレベルの政治に強く結びつくのに対して、最近の思弁的美学はこうした感性論的な地平を、人間のみならず、ほとんどすべてのオブジェクト、あらゆる存在へと開いていく方向性をもっていると思うんです。思弁的実在論はカント以降の哲学の射程、つまり人間がどのように世界を認識するのかという問題設定そのものを相関主義として批判していると言われます。さきほど星野さんは、今回の著作の議論としては、こうした思弁的実在論のもつ方向性に対してブレーキをかける意味合いをもつのではないかと言われましたが、星野さん自身としてはこれらの動向と関わりのあるお仕事もされているわけで、この辺はどうお考えでしょうか。

星野――今回の本から離れて言うと、ぼくはメイヤスー[74]の『有限性の後で』[75]の翻訳に関わっていたり、スティーヴン・シャヴィロ[76]の『モノたちの宇宙』[77]

か訳、京都大学学術出版会、二〇〇八―二〇年。リウィウスによって書かれた歴史書。ローマ建国から始まり、アウグストゥスによる帝政誕生までの歴史を叙述する。本来は一四二巻からなる大著であるが、そのうち今日残るのは、最初の一〇巻と第二一巻から四五巻までの三五巻のみ。その名声は古代ローマにとどまらず、ダンテなどによっても評価された。

の書評を書いていたりと、ここのところ思弁的実在論に関わる仕事も少なからずしています。そこで、いわゆる思弁的実在論の美学、「思弁的美学」の問題を簡単に定式化しておくと、そこでの中心的な課題は主体なき感性論、主体なき美学をいかに構想するかということです。つまり、彼らはカント以来の哲学が人間と世界との関係を第一原理とする「相関主義」であるとして批判します。このことを美学の問題に適用するなら、そこでは主体なき経験、主体なき美は可能か、という話になってくる。さらにこれをスローガン的に言えば、「主体なき感性論は可能か」という問いになってくると思います。

しかし、これは誤った問いというか、語義矛盾であることは明らかです。主体なき感性論というのは、普通に考えればありえない。すくなくとも、感性というものをあくまで人間の能力であると見なすなら、主体なき感性論などありえないと一刀両断する立場がありうる。しかし一方で、ハーマン[78]やシャヴィロが参照するアルフレッド・ノース・ホワイトヘッド[79]について言えば、ホワイトヘッドが言う美というのは、どう読んでも人間(のみ)が感じる美ではないんですね。ハーマンもシャヴィロも、それぞれ美学を「第一哲学」とする哲学を構想しているわけですが、そこで重要な参照項となるホワイトヘッドの美というのは、主体が対象を通じて獲得する感情、あるいは性質ではない。だから、もしも思弁的美

74｜カンタン・メイヤスー
一九六七年生まれ。フランスの哲学者。主著である『有限性の後で』においてカント以来の「相関主義」を批判し、新たな実在論を展開。英語圏を中心に関心を集め、「思弁的実在論」と言われる思想的動向を形成する。その他の著書に『亡霊のジレンマ』など。

75｜『有限性の後で』（二〇〇六）
カンタン・メイヤスー『有限性の後で——偶然性の必然性についての試論』千葉雅也＋大橋完太郎＋星野太訳、人文書院、二〇一六年。人間の思考との相関関係から外れた事物それ自体を認識不可能とみなすカント以来の立場を「相関主義」として批判。自然法則を含めた一切の事物が理由なく別様に変化しうるという、この世界の「偶然性の必然性」を主張しながら、新たな実在論を打ち立てる。

76｜スティーヴン・シャヴィロ
一九五四年生まれ。アメリカの哲学者・文化批評家。ホワイトヘッドに依拠した哲学的な研究から映画や音楽、ＳＦなどを対象とした文化論まで、幅広い関心から多くの著作を発表している。思弁的実在論の紹介者としても知られる。著書に『モノたちの宇宙』など。

77｜『モノたちの宇宙』（二〇一四）
スティーブン・シャヴィロ『モノたちの宇宙——思弁的実在論とは何か』上野俊哉訳、河出書房新社、二〇一六年。「思弁的実在論」や「新しい唯物論」と名指される二〇〇〇年代以降の新たな思想的潮流を論じた著作。ホワイトヘッドを参照点に、メイヤスーやハーマンらの議論を批判的に検討しながら、人間の存在を前提としない「モノ」の思考を提示する。

78｜グレアム・ハーマン
一九六八年生まれ。アメリカの哲学者。思弁的実在論の中心的な論者のひとり。ハイデガー研究から出発し、世界のあらゆる対象を自律的な存在として扱う「オブジェクト志向存在論」を展開。その思想は哲学にとどまらず、芸術や建築といった領野にも影響を与えている。著書に『四方対象』など。

79｜アルフレッド・ノース・ホワイトヘッド
一八六一—一九四七。イギリスの哲学者・数学者。初期の関心は数学にあり、バートランド・ラッセルとの共著『プリンキピア・マテマティカ』は記号論理学の歴史において画期をなした。その後は形而上学へと関心を広げ、機械論的な自然観にかわる「有機体の哲学」を論じた。著書に『自然哲学の認識論的諸原理』、『自然の概念』、『過程と実在』など。

学になんらかの可能性を認めるとするならば、そもそも美や崇高というカテゴリーを人間からいったん切り離すということが第一の前提になります。事実、そこでは美を存在論化し、この世界で起こっている現象一般に美を見いだしていくという、美という概念そのものの再定義が目論まれている。

思弁的実在論の人たちは、人間なしの世界ということをスローガン的に言うわけです。メイヤスーだったら「原化石」や「祖先以前性」という概念を手がかりに、人間がいまだ存在しなかった世界について思弁的に考える。レイ・ブラシエ[80]は、人間、さらには生物がいなくなった「絶滅」後の世界について考えることをひとつのモチーフにしている。いずれの方向にせよ、それによって人間から切り離された世界そのものの実在を論じるという方向に向かうわけです。しかし、そこで忘れてはならないのは、それを論じている彼らは人間であり、言ってみればそれは人間の言語によるSF的な想像力の産物であるということです。そこで実質的に生じているのは、言語によって、それこそ崇高なもの、到達不可能なものを論じるという一種のナラティヴにほかなりません。だから、思弁的実在論が主張している内容とは別の次元で、彼らの言語行為そのもののなかに、崇高なレトリックの探求があると指摘してもいいと思うんです。

池田――とくにハーマンのテクストは本当にレトリカルというか、もう比喩だらけ

80―**レイ・ブラシエ**
一九六五年生まれ。イギリスの哲学者。思弁的実在論の中心的な論者のひとり。ラリュエルやバディウといった二〇世紀のフランス哲学や英米の心の哲学、認知科学などを融合させながら、「ニヒリズム」や「絶滅」を主題とした研究を行なう。著書に『ニヒル・アンバウンド』。

（笑）。むしろ比喩を使いすぎというか、今回の議論的には、崇高であるためにはもうちょっと……

星野―テクネーを隠さないと（笑）。

池田―そう、もっと隠すべきなのではないかと（笑）。しかしあえて隠さずに、むしろ比喩を増殖的に繁茂させていく、そういうレトリックでもあると。

星野―そうですね。

池田―シャヴィロも『モノたちの宇宙』で美と崇高ということを言っていて、美を関係性に、崇高を実在性に対応させています。ホワイトヘッドによる関係的な美への志向に対して、ハーマンは実在性、つまりそれぞれの存在への自閉的な引きこもりという点を強調とするので崇高のほうに位置するんじゃないかと言っている。それは感じとしてはわかるんですよね。というのはカント的崇高ってある種の暗示、アリュージョン（allusion）ですよね。見えないことを通じて暗示する。ハーマンの議論では、すべての存在は実在的なレベルでそれぞれに引きこもって隠れているけれども、同時にそれが感性的なレベルの魅惑（allure）によって引き合ったりすれ違ったり、なんらかの相互作用をもっている、と。その意味では超越的な一者へと向かう崇高というよりも、ほとんどすべてのオブジェクトが崇高をもっている。崇高を徹底して複数化することによって崇高を横にズラす、という感じ。

星野―おっしゃる通りですね。シャヴィロは、ホワイトヘッドとハーマンの違いというのは「美の美学」と「崇高の美学」の違いであると言っている。ホワイトヘッドは、この世界のあらゆる相互的な接触（=抱握）に関わるものとして美を考えている。それに対してハーマンは、われわれはそれぞれのオブジェクトがもっている深みには決して到達できないという。つまり、われわれは目の前のコップがもっている存在の深みには決して触れることができない。人間もまた、あくまでもその表面において、オブジェクトとして触れ合っているにすぎないと。そのオブジェクト同士の内奥は知りえないということを言うために、ハーマンは魅惑(allure)という言葉を使っている。これはある意味でカントが言う暗示(allusion)と同じ構造なんですよね。その真の姿はわからないけれど、その仄めかしの次元をわれわれは感受しているのだと。その構造だけを取り出してみれば、たしかにこれはカントの崇高論に近いと言えます。

池田―それがカント的な主体−客体の構造ではなく、つまり人間が主体として一方的に対象から崇高を受け取るということではなく、人間もまたひとつのオブジェクトとして動植物や無機物も含めた諸存在と同一平面上にあり、ありとあらゆるオブジェクト間で、崇高の惹起が互いに起こりまくっている、と。

ところでパンタシアーという言葉が「現れる」という動詞に由来していて、これが中動態であると書かれています。中動態は、能動か受動かという区別、つまりある行為の主体と客体とを判然と分けることのできない中間にあるものと考えられますよね。たしかに「現れる」ことは、自分が見ることであると同時にむこうからやって来ることでもあって、主体的に世界に関わることと世界のなかに受動的に巻き込まれることとが絡み合っている状態として考えられる気もします。

星野——「パンタシアー」という名詞が「パイネスタイ」という中動態の動詞から派生していることは、たしかに重要なポイントです。つまり、そこで言うパンタシアーというのは、さきほどの幻覚なり、錯覚なり、あるビジョンを見てしまうことだと思うんですが、そのビジョンが何に属しているのか、という問題とも関わってくる。ロンギノスの場合、パンタシアーとは語り手から聞き手へ、書き手から読み手へと伝達されるイメージだから、それは書き手、語り手の側から伝達されるイメージだと言えるかもしれないけど、一方でそれは受容する側が抱くビジョンでもあるから、結局イメージがどこにあるのかというのは宙吊り状態なわけですよね。そういう意味でも、パンタシアーの中間的な性格を強調する意義はあると思います。

超越的ではない、内在的な崇高とは何か

池田—星野さんの議論がもっている、日常性との地続きな感じといいますか、白昼夢的な感じは、たしかに主体と客体、受動と能動との区別が曖昧になる感じと通じているのかなという印象があります。

星野—個人的な話になりますが、崇高について考えはじめたときにもっていた感覚として、崇高がもっぱら超越性に結びつけられることに対する違和感がありました。むしろぼくは、池田さんがおっしゃったような白昼夢的なものにこそ、ある内在的な裂け目としての崇高さを見たかったんですね。それは個人的な肌感覚にすぎませんが、それがこの本には結果的に反映されていると思います。よりシンプルに言えば、超越的ではない、内在的な崇高とは何かということが、もっとも根本的な自分のモチーフとしてあります。

池田—もともと崇高を研究しようと思ったきっかけは、どういうものだったのでしょうか。

星野—ぼくは大学時代に美学芸術学研究室というところにいたんですが、近代の美学を勉強するときに崇高はかならず出てくるんですよ。とくに、当時の指導教員が小田部胤久先生というドイツ・ロマン主義の専門家だったので、バークやカ

81｜**フリードリヒ・フォン・シラー**
一七五九—一八〇五。ドイツの劇作家、詩人。ゲーテと並び称される古典主義の詩人。自由の理念に根ざしたその理想主義は、ドイツ国民の精神生活に大きな影響を及ぼした。詩や戯曲のほか、歴史や美学に関わる論文も精力的に執筆した。著書に『群盗』、『ヴァレンシュタイン』、『人間の美的教育について』など。

ントのような教科書的な議論のほかにも、シラー[81]やシェリング[82]をはじめとするドイツ観念論における崇高論に興味をもっていました。修士から表象文化論研究室に移って、はじめは二〇世紀における崇高の概念について、どちらかというと概略的な修論を書こうと思っていました。ただ結局、修論は誰かについてのモノグラフがいいだろうなと思って、リオタールをやろうと思いました。リオタールは日本ではろくに読まれてこなかった人だったので、自分がきちんとやろうと。おもしろいと思ったのは、リオタールが崇高についてかなり幅広く論じているだけでなく、それが資本主義という問題系に結びつけられていたことでした。その後、博士にあがってこれからどうしようかなと思っているときに、はっきり方向性が定まらないまま、とりあえずフランスに行くことにしました。するとフランスでは、日本ではほとんど読めなかった修辞学関連の本がたくさんある。カント以前の崇高論というのはそれ以前にも知識としては知っていたのですが、むこうにいると、古代のロンギノスから初期近代のボワローまで、カント以外のさまざまな人の崇高論がどんどん目に入ってくる。ここにはすごい鉱脈があるぞ、という感覚をもったんですね。

ちょうどそのころ、先輩にあたる宮﨑裕助さんの『判断と崇高』という本が出ました。それ以前から宮﨑さんのお仕事はずっと追いかけていたのですが、この

82｜フリードリヒ・シェリング
一七七五―一八五四。ドイツの哲学者。ドイツ観念論の代表的な論者。人間と自然の根源的一体性を説く「自然哲学」、主客を絶対的な同一者による現れとみなす「同一哲学」、実存主義の先駆とも言うべき「積極哲学」など、いくどもの変遷を遂げながら独自の思想を展開した。著書に『超越論的観念論の体系』、『人間的自由の本質』など。

本は、ある意味、ぼくが美学的崇高と(事後的に)呼ぶものの決定版のような本だったんですね。カントとポスト・カント、とりわけフランス現代思想を対象とする崇高論として、これ以上の仕事はなかなかむずかしいだろうと。では、むしろそこで論じられていないことは何かと考えたときに、まさに修辞学における崇高の問題がそれだと思ったんです。だから自分の本は、ある意味では宮﨑さんの『判断と崇高』を補完するために書かれたというのが、自分なりの認識です。

池田　ありがとうございます。『崇高の修辞学』のもつ多様なポテンシャルを広範に提示していただけたように思います。「内容」的にはかなり詳細にお話しできたかと思いますが、しかしこれは「修辞」や「表現」をめぐる言語的な作品でもあるわけで、その部分はぜひ実際に本を読みながら、それぞれの読者に経験してもらえればと思います。長時間、ありがとうございました。

対談2

岡本源太×星野太

ロゴスとアイステーシス——美と崇高の系譜学

岡本源太｜おかもと・げんた

1981年生まれ。岡山大学准教授。専門は、美学、とくにルネサンス期西洋および現代の哲学思想と芸術理論。著書に『ジョルダーノ・ブルーノの哲学——生の多様性へ』(月曜社、2012年)、『『明るい部屋』の秘密——ロラン・バルトと写真の彼方へ』(共著、青弓社、2008年)、訳書に、ジョルジョ・アガンベン『事物のしるし——方法について』(共訳、ちくま学芸文庫、2019年)など。

司会―今日は星野太さんの『崇高の修辞学』の刊行記念イベントです。星野さんが『崇高の修辞学』を出された月曜社さんから、岡本さんも『ジョルダーノ・ブルーノの哲学』（二〇一二）[1]という中世と近代のあいだにいる一六世紀の哲学者についての研究書を出されています。『崇高の修辞学』を入り口として、おふたりに美学的な問題を広く議論していただければと思います。

星野―今日は、わたしのたっての希望で岡本源太さんと対談をさせていただくことになりました。岡本さんとは同世代で、美学というディシプリンにこだわりがあることや、思想史的なアプローチに関心があるということで、長らくシンパシーを抱いてきました。

今日はタイトルにもある「ロゴス」と「アイステーシス」、つまり言葉と感性という大きな問題になるべく接近しうるような、射程の広い話ができればと考えています。ですので、最初の導入ではこの本の大きなモティーフだけを紹介することにして、なるべくすぐに岡本さんとの議論に入りたいと思っています。

まず、この『崇高の修辞学』という本の成り立ちについてですが、これは二〇一四年に提出した「修辞学的崇高の系譜学」という博士論文がもとになっていまして、若干の加筆修正はしたものの、内容にはほとんど手を加えていません。執

1―『ジョルダーノ・ブルーノの哲学』
岡本源太『ジョルダーノ・ブルーノの哲学――生の多様性へ』月曜社、二〇一二年。ルネサンス期イタリアの哲学者であるジョルダーノ・ブルーノを論じた著作。近代的な無限宇宙論の先駆や古代的な神秘主義の末裔とされてきたブルーノ哲学を、新たな自然観に根差した新しい人間像を提起したものとして読解し、たえまなく変化しつづけるこの世界に現実に生きる人間たちの多様な生の共存こそが〈人間の尊厳〉と見なされたことを明らかにする。

筆そのものは二〇〇七年くらいから始めていますから、それから数えると一〇年くらいかかっていることになります。

はじめに、この本がどういった意図のもとに書かれているかということについて、一点ほどお話しできればと思っています。本書のタイトルには「崇高」と「修辞学」という二つのキーワードが含まれていますが、前者の「崇高」という概念をめぐる系譜学的な問いが、この本のもっとも大きなテーマです。いっぽうで、後者の「修辞学」をめぐる問題が、この本のB面に相当するテーマです。つまり、この本は崇高という概念をめぐる問いとともに進んでいくわけですが、その背後には修辞学をめぐる問題がある。こうしたレトリックの問題を現代においてどのように考えなおすか。それが本書の隠れたテーマです。

本書の出発点となったのは次のような問いです。すなわち、われわれがこれまで崇高という言葉に見ていた問題は、ずっと近代的な問題に限定されていたのではないか。崇高という概念は、一八世紀以来の美学の中核にある概念として、ほとんどつねに「美と崇高」というペアで論じられてきました。そのような意味で、崇高というテーマ自体はけっしてマイナーなものではないのですが、そもそも近代的な崇高概念というのは、わたしたちの感性の次元に限定されていたと言える。しかし歴史的に言えば、そうした五感を通じて感得される崇高さよりも以前に、レトリックにおける崇高、もっと平たく言えば言葉における崇高というものが、西洋には長らく存在していました。

しかし、その事実は今日ではほとんど忘却されています。わたしが「美学的崇高」および「修辞学的崇高」と呼んでいるのは、それぞれ「感覚における崇高」、「言葉における崇高」と言いかえることもできます。この後者の系譜に光を当てて西洋の思想史を見ていくと、どのようなことが言えるのか。それが、この本を貫くひとつの大きなモティーフになっています。

美学的崇高と言ったときにイメージされるのは、たとえばフリードリヒ［2］の《海辺の僧侶》（一八〇九）のような、一九世紀初頭のロマン主義絵画でしょう。ここには小さな僧侶の姿が描かれていて、そのむこうには空と海を分かつ真っすぐな水平線がある。巨大な自然を前にした人間の矮小さ、無力さといったものが表現されている。一八世紀から一九世紀にかけての美学的崇高のひとつの典型例と言えるのが、この絵画だと思います。もうひとつ例をあげると、このターナー［3］の《難破船》（一八三五頃）にも同じく海が描かれていますが、こちらでは自然の猛威に対して人間が為すすべもなく飲み込まれてしまうというような、恐怖や畏怖の感情が喚起されるでしょう。

かたや二〇世紀において、崇高という言葉は、マーク・ロスコ［4］をはじめと

2｜カスパー・ダーヴィト・フリードリヒ
一七七四―一八四〇。ドイツの画家。峻厳な山岳や不毛な木々、ゴシック様式の廃墟などを背景に、瞑想的な人物を背後から描いた孤独で静謐な風景画で知られる。二〇世紀初頭に再発見されて以降評価が高まり、現在ではドイツ・ロマン主義運動におけるもっとも重要な画家と目されている。作品に《海辺の僧侶》、《雲海の上の旅人》など。

3｜ウィリアム・ターナー
一七七五―一八五一。イギリスの画家。コンスタブルとともにイギリスにおける風景画の刷新に寄与。とりわけ光や大気といった現象そのものを扱った独特な風景表現で知られる。その色彩画法はクロード・モネをはじめとする印象

するアメリカの抽象表現主義を論じるときにしばしば用いられた言葉でした。そこには、さきほどのフリードリヒやターナーのような自然の風景こそ描かれてはいませんが、こうした抽象的な曖昧さもまた、かつてバークやカントが崇高の特徴と考えていたもののひとつです。そのことから、崇高はしばしばロスコやニューマン[5]のような二〇世紀の抽象表現主義の絵画とも結びつけられてきました。

いずれにしてもこれらは絵画ですから、言ってみればそこでは一貫して視覚を通じた崇高さが問題となっていたわけです。これに対して、西洋には長らく「言葉における」崇高の系譜が存在してきました。その発端とも言えるのが、紀元一世紀に書かれたと推定されるロンギノスの『崇高論』という書物です。むろん、詩学や修辞学の伝統を有する西洋では、ある時期まで詩や演説を対象とする崇高さの問題がさかんに論じられていました。しかし近代において、それらは背後に退いてしまったというのがわたしの見立てです。そこで拙著では、こうした崇高の隠れた系譜を、古代・近代・現代におけるいくつかの重要な局面に着目しつつ、思想史的に論じました。

もうひとつの修辞学の問題にも触れておきたいと思います。いましがた言ったように、崇高概念をめぐる歴史的な考察がこの本の表向きのテーマなのですが、この問題を通して、あらためてレトリックというものを理論的に考えることはで

派の画家たちに多大な影響を与えた。作品に《戦艦テメレール》、《雨、蒸気、速度――グレート・ウェスタン鉄道》など。

4｜マーク・ロスコ
一九〇三―七〇。ロシア出身のアメリカの画家。抽象表現主義を代表する画家のひとり。シュルレアリスムなどの影響のもと出発し、四〇年代の後半には、巨大な縦長の画面に矩形の単純な色面を配した独自のスタイルを確立。「カラーフィールドペインティング」と呼ばれる動向の先駆として知られる。作品に《オレンジ、赤、黄》、《シーグラム壁画》など。

きないかということが、いわば本書のもうひとつのテーマとなりました。

ここでいう「レトリック」には、大きく分けて二つの意味があります。ひとつは伝統的な学問分野としてのレトリックです。日本語では書き言葉か話し言葉かによって「修辞学」および「弁論術」と訳し分けられてしまいますが、もともとレトリックという言葉は、それが書かれたものであるか語られたものであるかを問わず、その両方をカバーするものでした。文章の技法、演説の技法の双方を含むものとしてのレトリックというジャンルが、西洋では長らく大きな影響力を誇っていました。

他方で、このレトリックという言葉は、より一般的なしかたで用いられることもあります。たとえば、誰かの発言や文章に対して「それはレトリックである」という言い方をすることがあると思います。つまり、よく考えれば事実に反すると思われることを巧妙な言い回しによってごまかしたりするときに、それが「レトリック」であるという言いかたをするわけですね。とはいえ原理的に考えてみると、レトリックというものは、じつはわれわれが用いるあらゆる言葉のなかに存在しているのではないか。そのような仮説のもとに、この本ではレトリックの問題を考えてみたかったわけです。

もっと平たく言えば、この本でレトリックと呼んでいるのは、わたしたちが話

5｜バーネット・ニューマン　一九〇五－七〇。アメリカの画家・彫刻家。抽象表現主義の代表的な作家のひとり。単色で均一に塗られた巨大な画面に、「ジップ（zip）」と呼ばれる垂直の色帯を配した独自のスタイルを確立。また、「崇高はいま」をはじめとする理論的な執筆活動も行なった。作品に《ワンメントI》、《英雄的にして崇高なる人》など。

したり書いたりする言葉の「内容」ではなくて、その「言いかた」の次元です。それはなにも詩や小説に限ったことではなくて、われわれが用いているどんな言葉にも、かならず何がしかのレトリックが含まれている。どんなにぶっきらぼうに発せられた言葉であれ、どんなに彫琢された言い回しであれ、およそ修辞的でない言葉など存在しない。その意味でレトリックというのは、もちろんひとつの学問分野の名称でもあるのですが、より原理的にはあらゆる言葉にひそむ「言いかた」の次元であると考えることができます。

いっぽう、レトリックは哲学においては長らく非難の対象でしかありませんでした。西洋哲学の始祖とされるプラトンの対話篇でも、人々を言葉巧みに誘導するソフィストは、つねにソクラテスの引き立て役として登場します。このソフィストというのは修辞家とほとんど同義ですが、彼らが人々を言葉で籠絡しようとするのに対して、ソクラテスが人々を正しい知へと導く存在として登場するわけですね。

そうなると、これは単純な善悪二元論になりますが、悪としての修辞学と、善としての哲学があったことになります。現に、この構図は哲学史のなかでしばしば反復されてきました。たとえば拙著で論じたカントにおいても、修辞学は悪しき技術としか見なされていなかった。そこでは修辞学が他者を籠絡するための技術にほかならず、国家が滅びへと向かうときに台頭する陰険な技術である、とすら書かれています。そしてプラトンやカントに限らず、哲学史のなかで修辞家というのはほぼ例外なく悪しきものとみなされてきました。

しかし、さきほど見たような原理的な次元でレトリックをとらえたとき、これはどこまで正当なものとみなしうるでしょうか。プラトンには『ゴルギアス』[6]という対話篇がありますが、そこではゴルギアスという有力なソフィストの主張に対して、ソクラテスが問答法によって弱点をついていきます。これは古代における修辞学批判の典型とも言えるものですが、これについてキケロ[7]が次のようなことを言っています。「わたしが『ゴルギアス』を読んでいて何よりも感心させられるのは、プラトンが弁論家を嘲弄するとき、ほかならぬそのプラトン自身が、もっともすぐれた弁論家であるように思われるところである」。プラトンはソクラテスの言葉を通じて、ゴルギアスがいかに哲学者から遠い存在であるかを明るみに出そうとしている。しかしキケロが言うように、やや引いた目で見てみると、そのプラトンの言葉こそが、すぐれた弁論家のそれのように見える。逆説的なことながら、プラトンその人が、おのれの批判しているはずの弁論家の典型のように見えてしまうということですね。

これは決定的な指摘ではないでしょうか。哲学も修辞学も、いずれも言葉を用

6―『ゴルギアス』
プラトン『ゴルギアス』加来彰俊訳、岩波書店（岩波文庫）、一九六七年。ソクラテスが三人の人物それぞれと対話を行なうプラトンの初期対話篇。当時高名な弁論家であったゴルギアスとの冒頭の対話では「弁論術とは何か」という問いが中心を占めるが、続くポロス、カリクレスとの対話では、道徳や政治の問題、さらには幸福や人生の生き方など、広範な主題が論じられる。

いた営みであるという点では共通している。そこで哲学は、修辞学という仮想敵を立てることによって、みずからを哲学として自己規定してきた。しかし、はたしてその両者をそこまではっきりと弁別できるものなのか。そのような問題意識が、先のキケロの言葉には含まれているように思います。これは、わたしの本のごく序盤で論じたことにすぎませんが、この問題が近代、現代においてどのように展開していったのかということが、この本の中盤から後半にかけての内容です。

さしあたり三点だけ、拙著から主要な問題をピックアップしておきたいと思います。まず、いましがた言った哲学と修辞学の対立は、より大きな問題としては「真理と詐術」や「自然と技術」という対立にスライドしていきます。たとえば自然と技術というのは、一般にそう考えられているほど対立しあう関係にはありません。むしろ自然と技術、ピュシスとテクネーは、ある面においては互恵的な関係、キアスム的な関係をなしているのではないか。技術は、自然をあらわにするための補助的な手段ではなく、そもそも自然が自然として、真理が真理として立ち現れるために不可欠な要素なのではないか。

また二つめですが、自然と技術はそれぞれが互いの極地に達したときに、実はあるところで一致するのではないか。技術が技術として極まると、それはあたかも自然の所産であるかのように見える。また反対に、自然の所産が類稀な技術の

7｜キケロ
前一〇六―前四三。古代ローマの政治家・弁論家・哲学者。法廷弁論家として登場したのち、政界に進出。カティリナの陰謀を鎮圧するなど活躍する。新アカデメイア派の認識論やストア派の倫理学に立脚した哲学的な著作も多く残しており、ラテン語散文の完成者とも目される。著書に『弁論家について』、『国家について』、『義務について』など。

成果のように見えることもある。かつてポール・ヴァレリー[8]も、「人と貝殻」のなかでこれと似たような問題を論じていました。

最後に三つめとして、たとえ哲学がいかに修辞学を批判したとしても、その哲学がみずから抱えこむ修辞的な要素を排除することはできないのではないか。それは哲学が言葉による営為である以上、おそらく避けがたいことです。この問題はとくに拙著の第II部で論じています。カントは修辞学を「陰険な技術」だとして批判していますが、それではカントのテクストにそういった修辞的な要素はないのかというと、それは確実にあるわけですよね。哲学というものが言語を用いた営みである以上、そこから修辞を完全に排除することなどできない。

具体的には、本書ではロンギノスのテクストを第I部で、近代のカント、バーク、ボワローという三人の思想家を第II部で扱っています。最後の第III部では、二〇世紀後半から二一世紀にかけての作家・思想家であるミシェル・ドゥギー、フィリップ・ラクー゠ラバルト、ポール・ド・マンの崇高論をそれぞれ論じることで、崇高という概念が二〇世紀にどのような問題を残したのかを論じています。言ってみれば、古代から現代までの崇高概念の変遷をたどることにより、そこからひとつのパースペクティヴを抽出するという試みであったと言えるでしょう。この思想史的なアプローチについては岡本さんの『ジョルダーノ・ブルーノの哲

8｜ポール・ヴァレリー 一八七一―一九四五。フランスの詩人・思想家。マラルメらの影響を受けながら、散文的要素を排除した純粋詩を提唱。また徹底した批判的精神によって、意識の問題や芸術の方法論、ヨーロッパ文明の危機などについての評論を発表し、文壇の寵児として多方面に活躍した。著書に『テスト氏との一夜』、『若きパルク』、『カイエ』など。

9｜デイヴィッド・フリードバーグ 一九四八年生まれ。南アフリカ出身の美術史家。コロンビア大学教授。芸術における心理的反応に関する著作で知られる。オランダ・フランドル美術の研究から出発、八〇年代半ば以降は認知神経科学の知見を取り入れた、人文学と

学』に教えられることも多かったので、このあとの議論ではぜひそうした話もしていきたいと思っています。

岡本――まずは思想史的なアプローチという点から話を始めましょうか。

星野さんとは早くも一〇年ほどのお付き合いになりますが、美学にたずさわる同世代のなかでもとくに思想史的なアプローチを取っている点で問題意識や方法論的関心に親近感を抱くところが多く、これまで星野さんの発表や論文からはいつも知的刺激を受けてきましたし、このたびの『崇高の修辞学』の出版も楽しみにしていました。

美学は、一般的に言えば哲学の一部門として、おもに感性の研究をする学問、人間精神のうち感覚や感情など、いわば理性で割り切れないような部分を扱う学問なのですけど、当然ながらいくつもの方法論的な立場があります。たとえば最近の動向では、フランスのジャック・ランシエールらのように、理性からは溢れ出てしまう感性こそが政治や社会を突き動かしていることに着目するものがありますし、あるいはまたアメリカのデイヴィッド・フリードバーグ[9]やドイツのヴィンフリート・メニングハウス[10]らのように、認知科学や生命科学と連携して感性のメカニズムを解明しようとするものなどもあります。

自然科学を横断した学際的な研究を行なっている。著書に『イメージの力』など。

10｜ヴィンフリート・メニングハウス
一九五二年生まれ。ドイツの文学者・哲学者。マックス・プランク経験美学研究所所長。ロマン主義やヴァルター・ベンヤミン、詩学などを中心に幅広い領域に及ぶ著作を発表。近年では進化生物学や認知科学などの知見を融合した新しい美学の構築を目指した研究で知られる。著書に『無限の二重化』、『美の約束』など。

それらに対して、美学研究の思想史的なアプローチというのは、言ってみれば、もっとも古典的なものです。もちろんそのなかにも、過去から現在にいたる経緯をたどる系譜学的アプローチや、その逆に現代的問題からその由来となった過去にさかのぼる考古学的なアプローチなどがあるものの、ともあれ、ひじょうに伝統的な研究手法だと言ってよいでしょう。

なぜこのような思想史的なアプローチが有効なのか――それは、僕なりに言えば、言葉と概念に歴史性があるからです。星野さんの『崇高の修辞学』はまさに「崇高」という概念の歴史的変遷をたどったもので、それに加えて第I部の諸論考の副題にある「ピュシス」「テクネー」「パンタシアー」「パトス」「カイロス」「アイオーン」などの諸概念の変容も巧みに描き出しています。美しい、崇高な、自然な、技巧的な、等々の言葉は、僕らが芸術を理解するときに使用するものですし、もっと広くこの世界のものごとを説明する道具としているものでもあるのですが、実はこの道具たる言葉にして概念は、歴史のなかで形成され変容してきたのであって、いつどの時代にも普遍的かつ中立的に適用できるわけではありません。

言葉や概念がけっして中立的な道具などではない、ということは、とりわけ論争の場面ではっきりするでしょう。論争は往々にして言葉の定義や概念の内実をめぐってのものであり、このとき言葉と概念は議論の道具という以上のはたらきをしています。「崇高」に関しては、星野さんの書いている通り、それを感性（アイステーシス）に関わるものと見るか、むしろ言葉（ロゴス）に関わるものと見るか、という理論的争点がありました。美学史を繙けばこうした理論的争点はほかにいくつもあって、そうした論争の数々が実際の芸術の歴史、その思想の歴史を駆動してきたところがあります。つまり、歴史的形成物としての言葉や概念によって、僕らは思考と実践を歴史的に方向づけられていて、それが実際に歴史をつくってしまうわけです。

以上を踏まえれば、現在の僕らが使用している言葉や概念を自明のものとはせずに、それがどのようにして歴史的に形成されてきたのかを思想史的なアプローチによって解明することは、今なお重要でしょう。美学とは、先ほども述べたように、言葉——ここで「言葉」も「理性」もギリシア語では同じ「ロゴス」であることを言い添えておきましょうか——によっては説明しきれないものを考えようとする学問です。このとき、そもそも言葉によっては感性は把握できないのだ、と見なしてしまうのではなく、むしろ言葉そのものに歴史的変遷があること、その歴史的変遷のなかで概念の解体と再編が生じていること、に着目してみましょう。すると、この「ロゴス」の解体と再編の経験こそが「アイステーシス」として問題になるもののように思えます。

少なくとも星野さんが『崇高の修辞学』で、感性に関わる「美学的崇高」の背後に、言葉に関わる「修辞学的崇高」を発掘していくのを読みながら、僕はそんなことを考えていました。「崇高」とは、先ほどフリードリヒやターナーらの絵画を見ましたが、まさしく僕らの言葉を解体してしまうような、有無を言わさない圧倒的な経験のことです。その崇高が、星野さんによれば、感覚や感情ばかりでなく言葉に関わっているのではないか、このことが思想史的にさかのぼることで明らかになるのではないか、という指摘が、まず『崇高の修辞学』のおもしろいところだと思います。僕らは往々にして、はじめに感覚があり、あとから言葉で説明がなされる、という順序で認識が進むと考えがちです。ところが思想史的に見てみると、実は、崇高の経験ははじめは感覚ではなく言葉に関わるものであったといいます。そうであれば、感覚から言葉へという順序ではなく、はじめから言葉があった、アイステーシスの根底にははじめからロゴスがあった、とも考えられるかもしれません。

ついで、『崇高の修辞学』で検討されているそのほかの諸概念についても触れておきましょう。

第Ⅰ部では「ピュシス／テクネー」「パンタシアー／パトス」「カイロス／アイ

11｜ミケランジェロ・ブオナローティ
一四七五―一五六四。イタリアの彫刻家・画家・建築家・詩人。レオナルド・ダ・ヴィンチやラファエロと並ぶ盛期ルネサンスの代表的な芸術家。八九年にわたる生涯の中で、絵画・彫刻・建築の各分野で卓越した作品を制作し、西洋美術の発展に比類ない影響を及ぼした。詩人としても活躍し、三〇〇編の詩を残す。作品に《ピエタ》、《ダヴィデ》、《最後の審判》など。

オーン」の三組の対概念が取りあげられ、近代以降のこれらの変容が第Ⅱ部と第Ⅲ部で跡づけられています。ここでも、思想史的なアプローチを取ったからこそ見えてくる、意外な関係が示されているでしょう。

ピュシス（自然）とテクネー（技術・芸術）については、先ほどの星野さんのお話にも出てきましたが、僕らはこれらを峻別し対立させてとらえているにもかかわらず、ときにその境界が不分明になる瞬間があります。ロンギノスはまさに崇高に関してそのことを指摘していますね。崇高さとは、たとえば演者が舞台に出てきて一言発しただけ、あるいはもう舞台に立っただけで感動してしまうような経験であって、そこでは話術や演技の巧みさ、構成や進行の見事さといった技術的なものが何もはたらいていないように思えます。まさに自然な、あるがままの存在の迫力といった感じがします。しかし、崇高はけっしてテクネーと無縁のものではなくて、むしろピュシスがそのままにあらわれでてくるようなテクネーの使用であり、テクネーがテクネーであることを隠してピュシスそのものとしてあらわれてくる事態だと、ロンギノスはいいます。

これは、いわゆる「技を隠す技」として、西洋の修辞学の基本原理のひとつであり、美学でも伝統的に主張されてきたものであって、もちろんカントの議論が有名ですが、それ以前にもたとえばルネサンスのミケランジェロ［11］が、芸術家たる者は苦労のあとを見せてはならないとしています。まるで自然にできあがったかのように作品を見せなければならない、というわけです。また同じくルネサンスのジョルダーノ・ブルーノ[12]は、ユニークなことに、この「技を隠す技」の議論をアリストテレス[13]の「芸術は自然を模倣する」という言葉に結びつけています。アリストテレスの言葉に対するルネサンス以降の基本的理解は、芸術が自然の見かけをそっくりに写し取ることを目指す、というようなものなのですが、ブルーノはそのようには理解しません。ブルーノによれば、芸術は完璧になればなるほど自然本性的にはたらくようになり、つまりは思考を必要とせず、いわば本能的にはたらくようになる、といいます。どこか「無為自然」の境地といった趣があります。

他方、現代に眼を向けてみると、先ほど星野さんがマーク・ロスコやバーネット・ニューマンらの二〇世紀の抽象表現主義の絵画を見せてくれましたけど、その理論的主導者であったクレメント・グリーンバーグ[14]がおもしろいことを言っています。すなわち、伝統的な絵画は自然の錯覚を与える「技を隠す技」であったが、近代的な絵画は絵画以外の何ものでもない絵画を描く「技を露わにする技」である、と。ロスコやニューマンの絵画はまさに現代的な崇高の典型例ですが、これは「技を露わにする技」、テクネーであることを示しているテクネーだということで、ここでロンギノスの議論が転倒されてしまっています。はたして崇高において技は古代のごとく隠されるのか、現代のごとく露わにされるのか——。

こうしてみると、ピュシスとテクネー、自然と芸術という概念の歴史を探ることは、たんに昔はこうだったというだけのことではなく、過去から反転して現在をも考える契機です。

ついで、パンタシアー（想像力）とパトス（感情）の関係についてです。パンタシアーをそのまま想像力ないし想像としてよいかどうか自体が『崇高の修辞学』

12｜ジョルダーノ・ブルーノ　一五四八—一六〇〇。イタリアの哲学者。近代哲学の嚆矢として知られる。コペルニクスの地動説の影響を受け、伝統的なアリストテレス主義的自然観を批判。独自の無限宇宙論や汎神論を展開する。その特異な思想ゆえに迫害され、異端者として火刑に処せられたが、一七世紀以降の西洋思想に影響を与えた。著書に『無限、宇宙および諸世界について』、『英雄的狂気』など。

13｜アリストテレス　前三八四—前三二二。古代ギリシアの哲学者。プラトンに学んだのち、アレクサンドロス大王の家庭教師を務める。晩年にはアテナイに「リュケイオン」と呼ばれる学園を開設した。形而上学、自然学、論理学、倫理学、政治学などおよそあらゆる領域を対象とした著作を残し、「万学の礎」として西洋文化の基礎を築きあげる。著書に『自然学』、『形而上学』など。

14｜クレメント・グリーンバーグ　一九〇九—一九四。アメリカの美術批評家。ジャクソン・ポロックやウィレム・デ・クーニングら抽象表現主義の芸術家を積極的に擁護。自己批判による純化の過程としての芸術というモダニズムの歴史観を提唱、「メディウム・スペシフィシティ」概念を軸にフォーマリズム批評を確立し、戦後美術に多大な影響を及ぼした。著書に『グリーンバーグ批評選集』など。

の重要な論点ではあるのですが、さしあたり大摑みにとらえて、想像力と感情の関係としておきましょう。想像を膨らませることと感情を抱くことは、どこか通底しているように感じられて、事実ロンギノスは崇高においてこれらを結びつけていますす。しかし、近代になってボワローとバークはこれらを峻別し切り離してしまいます。これは、今日の星野さんの導入では触れられませんでしたが、『崇高の修辞学』のなかで繰り返し回帰してくる重要なモチーフのひとつですから、あとでぜひ議論したいところです。

もうひとつ、カイロス（瞬間）とアイオーン（永遠）の関係というのもたいへんおもしろいですね。僕らの時間概念からすれば、瞬間と永遠とはまったくの別物、対極にあるようなものですが、ロンギノスはこれらを結びつけていたといいます。カイロスは、言ってみれば決定的瞬間というようなもので、この絶好のタイミングを摑むことで言葉は最大の効力を発揮し、崇高なものとなるわけですが、そこを外してしまうと滑稽な失敗に終わってしまう。アイオーンは、もともとは生命の概念に由来するような永遠性を示すものですが、ロンギノスでは後世まで残りつづける永遠の名声として、カイロスに適った言葉が繰り返し引用され伝承されていく契機を言い表しています。カイロスを摑んだ者だけがアイオーンに到達できる──このロンギノスの議論は、現在の人々が過去の遺産といかに関係するの

15｜**ヴォルフガング・ヴェルシュ**
一九四六年生まれ。ドイツの哲学者。一九八〇年代半ば以降、ドイツ語圏におけるポスト・モダンの論者としてさまざまな著作を発表。また、芸術のみならず、デザイン、政治経済、科学など幅広い領域を包括した美学の研究や、ヘーゲルに関する研究でも知られる。著書に『感性の思考』など。

かを考えさせてくれるものでしょう。

星野――ありがとうございました。はじめに思想史のことに触れていただきましたが、岡本さんとわたしの仕事に共通するのは、まさにその部分だと思います。美学の分野ではこの三〇年ぐらい、美学そのものの問いなおしがなされてきました。一九八〇年代くらいからでしょうか、日本語では「美学」というやや限定的な言葉になってしまっていますが、「エステティクス」という言葉のなかに含まれている「アイステーシス（感性）」という語義に光を当てて、これまで美や芸術をめぐる学問だとされていたエステティクスを、感性論としてあらためて練り上げるべきではないか、ということが西洋でも日本でもさかんに言われてきた。具体的に名前をあげると、ドイツのヴォルフガング・ヴェルシュ[15]がわりと早い時期にそういうことを言っていました。日本だと京都大学の岩城見一先生がそういうお仕事をされていたと思います。つまり、美学をたんなる芸術理論として考えるのではなく、より広く感性をめぐる学問としてとらえなおすということですね。岡本さんが名前を出されたランシエールにしてもそうですが、そうなると政治的な問題との接点というものも出てきて、また新たな議論の筋道が立てられることになります。

かたや、常識的には人間という感性的主体に結びつけられてきた美や崇高の問題を、むしろ存在論的に考えていこうとする人たちの流れがここ一〇年くらいで目につくようになりました。具体的に言うと、いわゆる「思弁的実在論」と総称されるグレアム・ハーマンやスティーヴン・シャヴィロのような人たちです。かれらが美や崇高について語るとき、それらはもはや人間の感性の領域には限定されていない。人間とモノとのあいだにはさまざまな相互作用が存在しており、その関係のなかに美や崇高があるといった議論です。これは、さかのぼればホワイトヘッドという哲学者の議論を継承したものであると言えます。もちろんそのほかにも、分析哲学的なアプローチで美や芸術の定義論争に貢献してる人たちがいますね。

このように、美学をめぐる状況はこの三〇年くらいいろいろな盛り上がりを見せていますが、それらをひと通り眺めつつも、自分はまだまだ思想史的なアプローチにできることがあるのではないか、という感覚をもっています。たとえば岡本さんのお仕事には、ブルーノに限らずルネサンスの時代の思想家を読みなおすという側面があると思いますが、このあたりは従来の美学ではほとんど無視されてきた部分だと思います。美学という学問自体が一八世紀のドイツで誕生したものであるという通念があるので、一般的な美学史はどうしても近代のドイツを発

16｜エルネスト・グラッシ
一九〇二―九一。イタリアの哲学者。古代哲学やイタリアの人文主義の伝統に立ち返り、人間の思考の基礎をなすものとしての隠喩やイメージの問いを展開。近代的な合理主義から締め出されてきた修辞学の復権を謳う。また「ローヴォルト・ドイツ百貨叢書」の責任編集を務めたことでも知られる。著書に『形象の力』など。

端とするところがある。しかし岡本さんのブルーノ論は、むしろイタリアを中心とする思想史的な力線が存在したことを鮮やかに示されたと思うんですね。わたしもこれには非常に勇気づけられるところがあって、自分の本でも、今日の崇高の美学が、もともとは修辞学の遺産を継承するかたちで近代に台頭したのだということをはっきり示したいと思っていました。そのような方法によって、これまでの美学史に異なる線を引けるのではないかという目論見があったわけです。

ですから、ある特定の時代にさかのぼることによって、わたしたちが当たり前のものと考えている通説を覆す可能性はまだまだあると思います。たとえば修辞学について言うと、イタリアには非常に豊かな修辞学の鉱脈がありますよね。もちろんイタリアに限りませんが、二〇世紀においても、エルネスト・グラッシ[16]やハンス・ブルーメンベルク[17]のような人たちは修辞学の意義をさかんに強調していましたから、西洋思想のなかでももちろん修辞学に与する人たちはいた。そのあたりを掘り返していくことはまだまだできるのではないかと、お話をうかがいながら思いました。

岡本　僕が第一の研究フィールドにしているイタリアのルネサンスは、いわゆる人文主義、ヒューマニズムの運動が起こり、それまでのスコラ学に対抗して諸学問を刷新していった時代です。ルネサンス人文主義は、中世スコラ学の論理学重

17｜**ハンス・ブルーメンベルク**　一九二〇－一九九六。ドイツの哲学者・思想史家。概念の歴史において隠喩がはたす決定的な役割に着目した「隠喩学」を提唱。古代から近代に及ぶテクストを縦横無尽に参照しながら、きわめて独創的な思想史を展開した。研究グループ「詩学と解釈学」の共同創始者としても知られる。著書に『近代の正統性』、『コペルニクス的宇宙の生成』など。

視を批判して、むしろ修辞学を諸学問の基礎に据えました。ですが、今日の哲学史記述では往々にして、ルネサンス人文主義は哲学ではなかった、それこそただのレトリックにすぎなかった、として切り捨てられがちです。文学や芸術には影響しても、哲学的には折衷主義でしかなく、既存の思想をあれこれレトリカルに引用していただけである、と。

こうした哲学史上の人文主義評価は、星野さんの仰るように、一八世紀ドイツの講壇哲学以降に形成されたものです。哲学史記述の試みそのものは、本来ならアリストテレスが最初の哲学史家であると言えるほど古くにさかのぼれるにしても、僕らが現在教わる標準的な哲学史は、一八世紀に哲学が大学で教わる学問になって以降に確立したものです。この講壇哲学の視点から、大学教師ではなく詩人だったり政治家だったりした人文主義者たちは、アカデミックな哲学者ではない、ただ言葉が巧みだったにすぎない、と見なされたのです。

僕がイタリアのルネサンスに着目したのは、まさに『崇高の修辞学』のB面にあたる部分と通底しています。たんなるレトリックとして切り捨てられてきたものが、実は現在の僕らにもつながってくるような、近代の思想的な枠組みをつくったのではないか──そうした見透しをもっているのです。

ルネサンスに書かれた著作を読んでいると、言葉巧みで読んでいて楽しいもの

18｜フランチェスコ・ペトラルカ　一三〇四―七四。イタリアの詩人・人文主義者。ルネサンス期を代表する叙情詩人。一六世紀には「ペトラルキズモ」と呼ばれる彼の作品の模倣が一世を風靡するなど、長きにわたって強い影響を誇った。また古典古代の文献の調査・研究に注力し、人文主義の先駆者としても知られる。作品に『アフリカ』、『カンツォニエーレ』など。

19｜ウェルギリウス　前七〇―前一九。古代ローマの詩人。ホラティウスらとともにラテン文学の黄金時代を築いた。とりわけローマ建国の理想を歌った『アエネイス』は、ギリシア・ローマの文学的伝統を総合する壮大な叙事詩として知られる。ダンテをはじめとしてヨーロッパ文学

の、いざ読み終えてみるといったい何を言いたかったのかよく分からない、ということがしばしばあります。ブルーノの対話篇などはその典型で、個性的な登場人物たちが何人かで喜劇風のやりとりを繰り広げますから、おもしろおかしく読み進められるのですが、結局のところ何が言いたいのかを考え始めるとたんに分からなくなります。

僕はこれを、概念をひとつの体系として組み立てていくような論証ではなくて、ある種の比喩でしかとらえられないものを考えようとする思考法だと見なしています。概念でもって厳密にとらえることのできないものとは、まさに美学の対象そのものですが、それを臨機応変な比喩、当意即妙な寓話、モデル・ケースとしての古典、あるいはイメージやアナロジーによって言い当てようとしているわけです。

個人的に興味深いと感じているのは、ルネサンスの思想家たちがときに文学や絵画や音楽を比喩にすることです。たとえばペトラルカ[18]は『わが秘密』のなかで、人間の情念と理性の関係を、ウェルギリウス[19]『アエネイス』冒頭の風と山の記述になぞらえて語っています。洞窟に隠れひそむ猛々しい風をそこに聳え立つ山が押し込めている、という描写（もちろん本当はもっと詩的かつ神話的な言い回しですが）を、情念を理性が支配すべき、という比喩として語るのです。またマ

の歴史に多大な影響を及ぼした。その他の作品に『牧歌』、『農耕詩』など。

キアヴェッリ[20]は、風景画の比喩によって自身の『君主論』を正当化しています。風景画家が平地を描くためには山に登り、山を描くためには平地に降りるように、君主を知るには平民になり、平民を知るには君主になる必要がある、それゆえ君主でないマキアヴェッリは君主とは何かについて正当に語ることができる、というのです。同様の比喩はほかの著作にもさまざまに見いだされます。

こうした比喩的な思考法は、ロンギノスの重視したレトリックである「引用」にも通底しているように思えます。ロンギノスの引用も、体系立てて論理的に説明するためにではなくて、ある種の重ね合わせによって感覚的にとらえていくときに使われる技法だからです。

さらにこれは、思想史、ある思考の継承と展開、という点にまで関わっているものではないでしょうか。ロンギノスにせよブルーノにせよ、彼らの思考を理解しようとして、僕らは自分の研究手法でもって彼らの手法をなぞっていくところがあります。彼らのテクストを引用し、換言し、事例や比喩を類比的に並べていきます。『崇高の修辞学』は第I部のロンギノスで終わらずに、そのテクストがいかに継承されて解釈されていったかを第II部と第III部でたどっていますが、その思想史はそれ自体で長い長い「引用」の展開のようにも読めます。

星野—ありがとうございます。とくに後半のお話が刺激的でした。たしかに、ル

20—**ニッコロ・マキアヴェッリ**　一四六九—一五二七。イタリアの政治家・政治理論家。フィレンツェ共和国の第二書記局長に登用され、混乱した軍事外交関係の修復に尽力した。共和政崩壊後、メディチ家への陰謀の嫌疑で投獄、釈放ののち著述に専心。政治を倫理から解放し現実主義的な政治理論を展開した『君主論』は政治学の古典のひとつ。その他の著書に『ローマ史論』など。

ネサンス期のユマニスムの議論は、通常の意味での「哲学」ではないとしばしば言われてきました。近代哲学は、おもに概念を通じた論証として発展してきましたから、彼らがやっていたことは比喩や寓話に基づいたレトリック以上のものではないと切り捨てられてきたわけですね。概念を逐一厳密に定義して、手順や段階を踏んで論証していくというシステムが主流になったがゆえに、ユマニストたちの表現豊かな、比喩によってしか語れない内容はそこから排除されてしまった。そう考えていくと、いまのお話はすごくパースペクティヴの大きな話だと思いました。

司会　星野さんの『崇高の修辞学』も、岡本さんの『ジョルダーノ・ブルーノの哲学』も、分析対象の手法をなぞったスタイルで書かれた研究書だと言えると思います。星野さんの場合はロンギノスを取り上げていらっしゃいますが、そこでは「レトリック」という言葉から想像されるような華麗で誇張された文体ではなく、むしろ簡素で明晰な文体が用いられています。しかしながら、それは岡本さんが舞台の演者を例に出しておっしゃったように、技を隠すというひとつの技であるようにも見える。それは、「レトリック」という概念を定義しなおし、言葉に内在しているあらゆる文彩をレトリックとしてとらえようとする本書の内容を、そのまま実演したスタイルでもあると感じました。

岡本さんの『ジョルダーノ・ブルーノの哲学』も、研究書でありながら、六枚の「肖像画」として構成されています。各章がそれぞれ一人の人物に焦点を当てており、ブルーノの哲学をなぞるような、細部から全体の問題を浮き彫りにするようなスタイルで書かれていると思いました。

星野──そうなんですよね。はじめはそこまで意識していたわけではないのですが、結果的に『崇高の修辞学』は第I部で提示した『崇高論』における三つのポイントを実践するかたちになったと思います。つまり、「ピュシス」と「テクネー」を論じた第一章のテーマは、ここまで何度も話題になっているように、技術はみずからが技術であることを隠さねばならないということです。それに倣って本書の文体も、華美な表現や勇猛な断定をなるべく避けるようなかたちになりました。また第三章では、さきほど岡本さんも説明してくださった「カイロス」と「アイオーン」、すなわちある瞬間が歴史的に反復され、永遠性を獲得していくさいに、引用がその重要な媒介となるということを論じました。この本では、たんに学術論文であるからという理由以上に、対象となるテクストをいささか過剰に引用しているところがありますが、これも本書の内容と符合しています。それで、第二章の「パンタシアー」と「パトス」というテーマはどこに相当するのかなと考えてみたのですが、司会の櫻井さんが先日「この本は明暗法が際立っている」と言ってくださったことを思い出しました。それは思想史的な「場面」の選択にかかわってきます。つまり、二〇〇〇年以上におよぶ西洋の思想史を均等に扱うのではなく、ロンギノスが生きていた古代、修辞学が美学へと移行していった近代、そして現代と、思想史のなかの三つの場面を大胆に取り出して、それぞれの特定の場面に光を当てています。その意味では、本書で論じたパンタシアー、すなわちある特定のイメージを強く喚起するような書きかたになっている。いま申し上げたような理由から、たしかに本書は、ロンギノスの言説をミメティックに踏襲しながら書かれたものである、という言いかたが可能かもしれません。

岡本｜引用ということで言うと、ブルーノは主著を対話篇で書いていますから、そこに登場する人物たちそれぞれに個性があって、彼らの発言すべてをブルーノ一個人の思想の表明とは見なせないところがあります（もちろんすべてブルーノが書いたにしても）。そのため、『ジョルダーノ・ブルーノの哲学』で引用するにあたっては、どの登場人物の発言なのかを分かるようにして、翻訳もなるべく多様な口調、多彩な文体で移すように工夫しました。これもたんなるレトリック上のことではなくて、言語の多様性はブルーノ哲学の――ひいてはルネサンス人文主義に共有された――重要な主題ですから、そうするだけの哲学的必然性があったわけです。言語は多様であり、哲学は複数的である、と主張する哲学の語りが単一言語的かつモノローグ的であっては、言行不一致、矛盾も甚だしいでしょう。

さらに引用ということでは、僕は『崇高の修辞学』の「カイロス」と「アイオーン」の章をとりわけおもしろく読みました。ロンギノスによれば、引用という修辞法を実践する際、たんに相手を説得するためではなくて、引用している言葉と自分の言葉とを対決させるのだということですね。それによって、言葉は崇高なものへと到達できる、と。つまり、自分がふだん当然のように使っている言葉を、圧倒的に優れた古典の言葉に出会わせて、それに負けることのないほどの強靱な言葉へと鍛え上げ直す、という契機がそこにあります。そのためにロンギノスは引用を重視していたのだということが、よく分かりました。さらにこの修辞法は、ただひとつの文章を引用してそれと対決するのではなくて、さまざまな引用を重ねていくんですね。ある単語やモチーフを媒介とした連想が続き、引用が重ねられていきます。これは論証になっていないようにも見えるのですが、少なくとも自身の言葉を高めていく契機になっています。これが決定的な瞬間を摑むことへと通じていく――とてもおもしろい考察です。

ロンギノス『崇高論』の発見はルネサンスの出来事とはいえ、当時はまださほど広まってはいなかったようなのですが、一般に引用は重視されていました。ル

21｜エルヴィン・パノフスキー
一八九二―一九六八。ドイツ出身のアメリカの美術史家・美術批評家。中世・ルネサンス美術を主軸に、従来の「イコノグラフィー（図像学）」とは区別される、図像の意味内容の象徴的な解釈を目指す「イコノロジー（図像解釈学）」を確立。美術史の方法論に大きな影響を及ぼした。著書に『イコノロジー研究』など。

ネサンスは「再生」という意味ですから、古代ギリシア・ローマの古典を再生しようという努力がなされていた時代で、ルネサンスの人文主義者たちのテクストはまさに古典からの「引用の織物」と言うべきものです。

ここで思い出すのが、エルヴィン・パノフスキー[21]の「人文学の実践としての美術史」(一九四〇)という有名な論考です。これはナチズムとの闘いのなかで書かれたという重要な歴史的背景をもっていますが、ともあれ、そこでパノフスキーは人文学と科学とを対比しています。科学は、変化していく自然事象をとらえるために、変化を超えた法則性を求め、そのようなかたちである種の永遠性を探します。対する人文学は、人間が時間のなかで残していった痕跡としての文化事象をとらえて、その時間の停止してしまった痕跡をふたたび時間のなかに戻す、つまり古典として再生させます。パノフスキーによれば、このような時間の回復、過去の再生が人文学の営為であり、これがルネサンスに誕生した知のありようなのです。

そうした次元で考えていくと、引用はたんに修辞学上のテクニックということを超えて、文化と文明を歴史的に形成していく構造をなしているのではないかとも思えてきます。

星野──思想史の話から始まったこともあって、歴史の問題に議論が傾いてきたように思います。岡本さんに触れていただいた第三章では、いささかトリッキーながら、引用という言語行為それ自体の意味を論じています。引用によって地の文と引用文のあいだに緊張関係が生じて、そこに崇高な高まりへのベクトルが発生する。そんな議論をしています。

あえてひとつだけ付け加えておくと、ロンギノスは『崇高論』のなかで、引用という言語行為に明示的に触れているわけではないんですね。つまり、ロンギノス本人が、おのれの引用の手法や目的について明快に論じているわけではない。そもそも、古典古代にわれわれが考えるような引用という概念が存在したかどうか、いささか疑わしいところもあります。『ジョルダーノ・ブルーノの哲学』でも、「知識が増せば苦痛も増す」という聖書の言葉が、かならずしも正確に引用されていたわけではないと書かれていますね。しかしその背景には、現代のわれわれが考える一語一句違えることのない「引用」とは異なった考えかたがあったのだろうと思います。

そのうえで、ルネサンスにおける古典の再生という問題を、パノフスキーにそくして説明していただいたのは重要なことだと思いました。わたしたちは、ふつう古代、中世、近世、近代、現代という感じで時代の変遷をイメージしますが、古代のなかにも何らかの近代性（モダニティ）は存在していただろうと思うんです。

わたしの本で論じているロンギノスにしてもそうです。この著者はおそらく紀元一世紀に『崇高論』を書いただろうと言われているのですが、当時がどういう時代だったかというと、それはかつてのホメロス、プラトン、アリストテレスなどが存在した黄金時代が、とうの昔に終わっていた時代だったんですね。つまり当時の人々にとっても、ホメロスやプラトンのテクストというのははるか過去に出現した古典にほかならなかった。ロンギノスの意識というのは、その意味で近代人のそれに近かったとも言えます。

國分功一郎さんの『中動態の世界』(二〇一七)によると、紀元一世紀頃というのはホメロスの注釈書がたくさん書かれはじめた時代だそうです。つまりそれは——現代のわれわれは古代ギリシア・ローマなどという雑駁な呼びかたをしますが——紀元一世紀のギリシア人は、すでに注釈書なしではホメロスを読むことができなくなっていたということを意味します。『イーリアス』や『オデュッセイア』といったテクストは、当のギリシア人たちにも容易には読めなかった。ゆえに注釈書がたくさん書かれるようになった。現代の人間が古典の注釈書を参照しつつ何とか読む、という行為に近いことが、紀元一世紀にすでに行なわれていた。

このように、「古典の再生」という局面はじつはギリシアにも見いだせるし、ルネサンスでも、現代においても、古典への回帰という現象はそれぞれ異なるしかたで現れてきました。歴史上、古典の再生というモティーフは、さまざまなかたちで変奏されてきた。さきほどの議論は、そのような視点で歴史をとらえることにもつながるのかなと思いました。

岡本─再生と変容、回帰と変奏というのは、思想史的な研究をするうえでおもしろいところでもありますし、またむずかしいところでもありますね。『崇高の修辞学』では、崇高という概念を中心に、なかでも修辞学的崇高に焦点を絞って、それが間欠泉のように噴き出てくるさまをたどっていますが、しかしそれはいつも同じ姿で復活するわけではなくて、時代状況に応じて変形されたかたちであらわれるわけですよね。

ここで聞いてみたいのが、『崇高の修辞学』の最後に出てくるポール・ド・マンの議論です。そこでは崇高の話から始まって、しかしそのあとアイロニーの話になって終わります。これは、アイロニーを崇高のいわば変形と考えているのでしょうか。

星野─おっしゃるように、ポール・ド・マンを扱った最終章は、崇高をアイロニーの問題に結びつけたところで締めくくられています。これはどちらかというと、わたしの強い解釈が入った部分です。つまりド・マンが崇高をアイロニーと結びつけて考えていたわけではなくて、二〇世紀的な崇高の問題を突き詰めていくと、それは最終的にアイロニーの問題につながっていくだろうという見通しがあったんですね。

具体的にどういうことかというと、アイロニーのむずかしいところは、その言葉の意図するところが、いわゆる文字通りの意味であるのか、あるいはそのまったく反対の意味であるのかが、客観的には決定できないところです。すくなくともド・マンは、それこそがアイロニーのもっとも深刻な問題であると考えていました。わたしとしては、ロンギノスが問題としたような超越的な崇高とは異なる、言葉そのものに内在するリミットとしての崇高というものを、最後に論じたいと思ったんですね。言葉がもつそうしたリミットをもっとも顕著に示すのが、おそらくアイロニーであろうと思われた。そうした理由から、これを最終的にアイロニーに絡めて論じてみたわけです。

岡本――崇高と言ったとき、伝統的にはもっぱら美との対比で論じられてきましたよね。教科書的にまとめれば、崇高は古代にロンギノスによって弁論術的に論じられて、それが近代になってバークによって心理学的に、そしてカントによって超越論的に解されたわけですが、このバークとカントの頃には「崇高と美」という組み合わせはもはや自明の前提でしたし、その点は二〇世紀における崇高論の流行でもほとんど変わりません。それに対して、僕はほかの組み合わせも思想史的にありえたと思っていたので、「崇高とアイロニー」というのはたいへん興味深く感じました。

この点に付け加えたいことがあります。『崇高の修辞学』のエピグラフでは、「崇高と滑稽は紙一重である」というナポレオンの言葉が引かれています。これは、崇高と美という組み合わせを自明のものとしてきた人々に対する、ある種のカウンターになっていると言えるでしょう。また星野さんのと同じ『崇高の修辞学(Retorica del sublime)』(一九九〇)というタイトルをもつジャンニ・カルキア[22]の著書によれば、ロマン主義の時代には崇高はそのままの姿であらわれることができなくなっており、その世俗化された形態としてのユーモアがこの時代に論じられたのだといいます。つまり、崇高の系譜と言っても、その崇高はつねに同じ定義が与えられていたわけではなく、それどころか同じ姿であらわれていたわけでさえなく、時代状況に応じてアイロニーやユーモアに転じ、また美とも滑稽とも組み合わされてきました。崇高の系譜学的な効力というのは、こうした美、滑稽、アイロニー、ユーモア等々とたえず構成され変換されるという、歴史的作用のなかでこそ発揮されているように思うのです。

星野──おっしゃるとおりですね。そもそも、美と崇高というカップリングがこれ

22──**ジャンニ・カルキア**
一九四七─二〇〇〇。イタリアの哲学者。ジャンニ・ヴァッティモの「弱い思考」という解釈学的な発想に影響を受けながら、古代ギリシア哲学やヴァルター・ベンヤミンの読解を通して、美やイメージと真理の関係をめぐる独自の思想を展開した。著書に『崇高の修辞学』、『イメージと真理』など。

ほど強く維持されてきたということ自体が、いささか奇妙なことだと思っています。美と崇高の特質を列挙していくと両者は対極にある、ということがまことしやかに言われるわけですが、それは美と崇高を近代的なパースペクティヴのもとで見ているからであって、それはあくまでも一八世紀にできた枠組みにすぎません。そうした枠組みを取り払えば、岡本さんが紹介してくださったように、アイロニーやユーモアのような概念との結びつきを積極的に考えることもできると思うんですよね。

さきほど挙げられたいくつかの言葉で言えば、わたしはジャンニ・カルキアが論じたユーモアと崇高の結びつきには共感するところがあります。超越的な、神学的と言ってもいい崇高さから、言葉に内在する崇高さへの折り返しというのは、自分のアイデアにもわりと近いところがあると感じています。ちなみに、エピグラフにあげたナポレオンの「崇高と滑稽は紙一重である」という言葉は、この本との関わりで言えば誇張法の問題、つまり誇張は適切に行なわなければまったく馬鹿げたものになってしまうという問題につながってきます。

岡本——まさしく、美と崇高というカップリングでなおも考えつづけていることは、一八世紀からの近代的な思考の枠組みに囚われつづけていることの徴候になっていると言えますね。

一方で、星野さんの著書の最後のほうでは、崇高というものは崇高として理解されたとたんに崇高でなくなってしまう、ゆえに現代においては崇高は一見したところ崇高と分からないかたちであらわれてくる、と強調されています。ラクー＝ラバルトの章はまさにこのことが論じられていて、ある意味ではこれがド・マンのアイロニー論への理論的な伏線になっているのかなと思いました。

崇高は崇高として理解されたとたんに崇高ではなくなる——これは美についてもよく言われることです。美は、それを美として説明しようとすると、とたんに美ではなくなってしまう。だからカントは、美が無概念的で無関心的なものだと言ったわけです。またこれは幸福についても言われることです。自分は幸福であると思った瞬間にすでに不幸への意識が芽生えているわけですから、本当に幸福な人間は自分が幸福であるとさえ感じないはずです。こうした自己言及のパラドクスは、言ってみれば、ロゴスの構造そのものではないでしょうか。これは崇高に本来的な問題なのか、それとも崇高が言葉（ロゴス）に折り返されたからこそ生じた問題、崇高から超越的な審級が消えたからこそ生じた問題なのか、どうでしょう。

星野――そうですね。さきほどド・マンにそくして言ったような崇高というのは、もはや崇高と呼ぶ必然性すらないようなものだと思うんです。そこで崇高と呼んでいるのは、フリードリヒやターナーの絵画のような、いかにもスペクタキュラーな崇高さではないわけですから。さきほども言ったように、その場合の崇高さというのは、言語のなかに含まれている臨界点のようなものです。デリダやド・マンのような人たちのテクストの読みかたは、まさしくそうした臨界点を発見するような戦略を取っていたと思います。彼らはあらかじめ整合性をもったものとしてテクストを読んでいくのではなく、そのテクストが避けがたく含んでしまうクリティカル・ポイントのようなもの、つまり「ここを突くと、まったく違う読み方ができてしまう」というポイントを探しながらテクストを読んでいたわけですから。わたしも彼らの実践を念頭におきながら、テクストそのもののなかで生じてしまう意味作用の変容を崇高の問題に結びつけて考えています。

司会――池田剛介さんとの対談のなかで、星野さんは「ぶぶ漬け」のお話をされていましたよね。余談ですがつい二、三日前に京都のある画廊に行ったら、画廊のオーナーとお客さんが対話をしているように見えて、じつはオーナーが「帰れ」というメタ・メッセージを発しつづけている現場に遭遇しました。それをお客さんの方はベタに受け取って返事をしているわけなんですね。「ここからあなたの家までだと時間かかりますよ」とオーナーは言っていて、もちろんこれは、京都のコンテクストで読み解けば「さっさと帰れ」という意味なのですが、お客さんは「いやそうでもない、わたしは最近体力があるから速く歩けます」なんていう話をしていて、これが「ポストトゥルース」と言われるような状況なのかと思いました（笑）。冗談ですが。

とはいえ現代という時代が、言葉によるコミュニケーションが平板化しやすい状況になっているのは確かだと思います。アイロニーで言っているのか文字通りの意味で言っているのかが伝わらずに、ともすれば言葉はすべてベタな意味へと回収されてしまう。そういう状況の中で「言葉」について、星野さんはどういうビジョンを持たれているのでしょうか。

星野──これまで本書に関して、ポストトゥルースといわれる問題に代表されるような昨今の状況を連想してくださったかたが結構いらっしゃって、それは非常にありがたいことだと思っています。さきほどの「ぶぶ漬け」の話でいうと、池田さんとの対談も京都で収録していたからということもありますが、それよりは「ぶぶ漬け」のような事象がたんに揶揄的に語られることへの違和感もあったんですよね。それがコミュニケーションのありかたとしてよいことかどうかはおいておくとしても、現在のわれわれは「ぶぶ漬け」を失いつつある時代にいるわけです。つまり、大抵の場合レトリックというものが好まれず、むしろ憎まれてすらいる時代に生きている。これは書物についてもそうですよね、何か必要があってむずかしいことを書くと、だいたい嫌な顔をされる。物書き、日々「簡単に書け」という圧力を受けつづけるというのは文明史的にいかがなものかと思うわけです。いささか誇張的に言えば、レトリックを擁護するということは、われわれの文明を維持することに等しい。もちろんそういう動機からこの本を書いていたわけではありませんが、そこには言葉の単純化に対して断固として抵抗したいという内なる動機があったのかもしれません。

司会―お二人に質問です。星野さんによれば、カントは修辞学に対して手厳しい批判を加える一方で、むしろカントの美学そのものはさまざまな修辞学上の概念を導入することによって成り立っているとされています。そこでキーになってくる概念のひとつが「構想力（想像力）」だと思うのですが、その概念についてはどのようにお考えでしょうか。カントの『純粋理性批判』には第一版と第二版で大きな違いがあることが知られていますが、第二版では構想力の働きがより重視されており、それがあってはじめてカントの哲学体系は成り立っていると言われます。この構想力という概念もまた、ギリシア語の「パンタシアー」をはじめとする修辞学的な系譜の上にあります。構想力（想像力）の問題について、岡本さんは近年『現代思想』に書かれた一連の論文［23］でも触れられていましたので、そのあたりをうかがえればと思います。

星野―それはぜひわたしもうかがいたいところです。岡本さんがここ数年「イメージ論の問題圏」というサブタイトルで書き続けられている論文は、イメージと想像力の問題について新たな切り口を示されていると思います。

岡本―イメージと想像力に関してまず考えるべきは、それがたんに個人の心理的ないし精神的なあれこれの問題ではなくて、むしろなによりも共同性の問題に直結しているということでしょうね。これは『崇高の修辞学』の、とくにボワローおよびバークの章と関連性が深いと思いますが、言葉というものがそもそも語り手と聞き手のあいだにこそあるように、イメージと想像力も複数の人間のあいだにこそあって、人間たちの社会的紐帯としてはたらくものです。思想史的に見れば、古代のプラトンの「詩人追放論」からしてすでに、イメージと想像力は共同性の問題として論じられていました。

『現代思想』にはこれまでのところ三篇の論考を寄せましたが、出発点となった疑問はこういうものです。つまり、一方では現代において想像力が枯渇しているとしばしば言われ、他方ではイメージが社会に氾濫しているとも言われていて、しかしこのいずれが問題なのかということではなく、またこの分裂状態が問題だ

23｜**出典**
岡本源太「囚われの身の想像力と解放されたアナクロニズム――イメージ論の問題圏」、『現代思想』二〇一三年一月号ほか。

24｜**ギー・ドゥボール**
一九三一―九四。フランスの思想家・映像作家。前衛集団「アンテルナシオナル・シチュアシオニスト」を創設し、文化的・政治的運動を展開。現代のメディア消費社会を「スペクタクル」ととらえて徹底的に批判した『スペクタクルの社会』は、六八年の五月革命を予見したものとして各国で広く読まれた。その他の著書に『スペクタクルの社会についての注解』など。

25｜**出典**
岡本源太「思弁の容赦なさ

というのでもなく、むしろこのような分裂した言いようのもとで実は無理にでも想像することを強いられているのではないか、ということです。想像しないでいることが禁じられている状況、というものを考えたかったのです。

　最近、ギー・ドゥボール[24]の『スペクタクルの社会』（一九六七）を今日的に考えなおすとどうなるかを思案してみて、論考[25]をまたひとつ書きました。現代のマスメディア上を行き交うさまざまなイメージは、魅力的なスペクタクルとして、人々に享楽を与えているように思えますが、ドゥボールによれば、実のところ人々はそうしたイメージに自己を重ね合わせないかぎり何も享受できないという、疎外状態に陥っています。このような「スペクタクルの社会」は、今日ではむしろ「プロジェクトの社会」とでも言えるものに変貌したのではないか——これが僕の仮説です。ドゥボールではメディアのイメージであったものが、現在の僕らにとっては「未来のイメージ」、つまりプロジェクトやプランやアジェンダといったものになっていて、そうした未来の想像図に自己を重ね合わせないかぎり僕らは何も思考できず、行動もできなくなっているかのようです。つまるところ、僕らはたえず未来を想像することを強制されていて、けれどもその想像力は現実の可能性を狭めていくという方向にしか作用できない状況に追いやられているように思われるのです。

——「プロジェクトの社会」における世界の複数性」、『10+1 website』二〇一六年四月号。

この点で、『崇高の修辞学』を読んでいて徴候的だと思えたのが、先にも触れた通りボワローとバークの議論です。ロンギノスが崇高ということで結びつけていたパンタシアーとパトス、想像力と感情を、ボワローもバークもそれぞれに切り離してしまいますよね。その方向性はある意味で対照的で、ボワローは感情のほうを、バークは想像力のほうを崇高から排除します。その結果、ボワローでは想像力はたんなるフィクションになってしまい、バークでは言葉はイメージを伝えることのない、直接的な共感を呼ぶだけのものになってしまいます。今日のスペクタクルの社会ないしプロジェクトの社会の淵源には、このように近代になって想像力と感情とが切り離され、イメージと共同性の結びつきが思考しえないものになってしまったことがあったのではないのか——と、そのように感じられたわけです。

星野——いま共同性の問題に触れられましたが、考えてみればレトリックというのは共同性が存在してはじめて機能するものですよね。そもそも歴史上はじめてレトリックとロジックを厳密に峻別したのは、ピエール・ド・ラ・ラメー[26]という一六世紀の人物でした。それまでは、ロジックとレトリックはさほど厳密に区別されていなかったわけです。しかし、すくなくとも現在の区分けにしたがって言えば、レトリックはそれを意図して言葉を発した人間と、それを受け取る人間

26｜**ピエール・ド・ラ・ラメー**　一五一五—七二。フランスの哲学者・人文学者。ペトルス・ラムスというラテン語名でも知られる。当時支配的であったアリストテレス－スコラ的な論理学を徹底的に批判、論理学を修辞学から明確に区別するなど、知識や学問の体系の改革を推進した。その思想は「ラメー主義」として一六世紀から一七世紀にかけて影響を盛行した。著書に『論理学』など。

の共同性がなければ存在しえません。これに対してロジックは、あるていど客観的に成立しうるものだと言えます。岡本さんが指摘してくださったような、想像力の行使を強いられているという時代状況、あるいはスペクタクルの社会からプロジェクトの社会へ、という話につなげて言うと、レトリックの問題をどのような次元で考えるべきなのかということがあると思います。現代では、レトリックの問題はおそらく言語の領域を超えて、イメージ、具体的にいえば映画やテレビのなかにより顕著に見て取れるだろうと思います。わたしの本が対象としたのはあくまでも言語の問題ですから、そうした議論はあえて組み込んではいません。しかし、かつてロラン・バルトによる「イメージの修辞学」という言い回しがあったように、現代のわたしたちの社会において、いったいどこでレトリックが機能しているのかといえば、それは明らかにイメージのなかだと思います。ある映像を編集し、いかに効果的にそれを見る人間の心に届けるか、悪く言えば、いかにそれを見る人間の心を操作するか。レトリックは、そうした視覚的イメージのなかでこそ、非常に巧妙なしかたで働いていると思います。

岡本　ピエール・ド・ラ・ラメーの名前が出ましたけれど、彼のラミスムすなわちラメー主義という論理学上の立場こそ、一六世紀当時、ジョルダーノ・ブルーノが思想的に対決していたもののひとつだとされています。そういう意味でも、一六世紀あたりというのは現在の思想的状況を生み出した重要な時代と言えそうです。

同時に、今日ではレトリックが言語においてのみならずイメージにおいてこそはたらいている、というのはまったくその通りですね。ただ、そのイメージが言語とはまったくの別物かというと、どこかで通底しているようにも思えます。現代においてメディア上の映像をめぐってかくも厖大な流言蜚語が飛び交っているのを見ると、実のところイメージは言葉を呼び込まずにはいないのだと、そう考えざるをえません。それこそ美学的崇高に対する修辞学的崇高の系譜につながるところですが、イメージそれ自体にロゴス性のようなものがあるとも言えそうです。

◎質疑応答

質問者1──ここ最近の映像研究の文脈では、レトリカルに映像を読んでいくというよりは、むしろ映像に対峙したときの身体や情動（アフェクト）のありかたにフォーカスをあてることが主流になっています。バルトのように、映像を読解可能なテクストとして扱うのではなくて、より身体的な、感性的な経験として論じる傾向が強くなっている気がするんですね。なので、今日の話に結びつけると、映像をレトリカルなものとして読みこんでいくというのは、すこし保守的に聞こえてしまう。もちろんそんなに単純な話ではないとは思うのですが、言語におけるレトリックと、映像におけるレトリックを同じようなものとして考えてよいのか、そのあたりについて教えていただけないでしょうか。

星野――バルトがイメージのレトリックということを言い始めた背景には、編集された映像のショットやフレームの分析によって、その背後にあるイデオロギーを暴くという時代の動機があったように思います。たとえばバルトはCMなどを分析していたわけですが、それは映像と言葉の編集がいかに消費者の購買意欲をそそるのか、というテクネーの分析であったわけですね。これに対して近年の情動論のような、イメージを受容する身体的な情動にフォーカスをあてた研究が、かつてのそれと最終的にどこまで異なっているのかはわかりません。

すくなくとも言えるのは、昨今のイメージ論が情動をはじめとする享受者のそれにフォーカスをあてている理由は、われわれの周囲にあるイメージの大半が入念につくられたものでは「ない」からだと思います。つまりYouTubeやニコニコ動画を見ていても、それが巧妙に編集されていたり、特殊なカメラ・ポジションを設定しているとはあまり考えませんよね。そうなると、作り手の意図を読むことにほとんど意味がなくなってしまう。だからこそ、むしろ主体がそれをどういうかたちで享受しているのかというふうに、問いの形式が変化しているのではないでしょうか。

質問者2｜政治学の観点から質問をさせてください。二〇一四年に亡くなったエルネスト・ラクラウ［27］という人がいるのですが、彼の最後の著書のタイトルが『社会の修辞的基礎づけ（The Rhetorical Foundations of Society）』というものでした。そこで彼は、レトリックというものが秩序や言説の形成において非常に重要だという話をしていまして、最終的に彼が行き着いたのはポピュリズムなんですね。さきほどポストトゥルースの話がありましたが、彼はレトリックを用いて同一性をかたちづくっていく戦略がラディカル・デモクラシーには必要ではないか、という問題提起をしています。しかし、たとえばトランプはレトリカルな方法で人民をまとめていくわけですが、こういった政治のありかたというのは、最近ではヤン＝ヴェルナー・ミュラー［28］から厳しく批判もされています。他方でシャンタル・ムフ［29］などは、左派ポピュリズムが大事なんだと言っています。

ここに星野さんの議論を結びつけていくと、政治におけるレトリックのありかた、それに紐づいたデモクラシーのありかた、つまりポピュリズムに基づく政治のありかたというのは、はたしてポジティヴに評価できるものなのでしょうか。

27｜**エルネスト・ラクラウ**
一九三五－二〇一四。アルゼンチン出身の政治思想家。イギリス亡命後、長年にわたってエセックス大学で教鞭を執った。ポスト・マルクス主義の理論家として知られ、「ラディカル・デモクラシー」やポピュリズムに関するその思想は、ラテンアメリカの新左翼政治家や世界中の活動家に多大な影響を与えた。著書に『現代革命の新たな考察』、『ポピュリズムの理性』など。

28｜**ヤン＝ヴェルナー・ミュラー**
一九七〇年生まれ。ドイツ出身の政治学者・政治思想史家。世界各国で客員教授を歴任。民主主義を中心とした二〇世紀のヨーロッパ政治思想史やポピュリズムを主題とした著作で、現在世界的な注目を集める。カール・シュミットのあるいは熟議にもとづいて、論理的に明晰なしかたで対話をしながら政策決定していくべきだ、ということになるのか。今日の議論を政治の文脈に落とし込んだ場合、どのようなことが言えるのでしょうか。

星野――ご質問のなかでさらっとおっしゃっていたポイントにすごく関心がありまして、それは何かというと「トランプの言葉遣いはレトリカルだ」という前提なんですね。これは非常に重要な視点だと思います。なぜなら、おそらく一般的にはそう思われてないからです。つまり、トランプの演説というのは語彙が貧困で、よくある政治家の弁論に比べると拙いものだという評価がなされていると思います。たとえば「great」とか「bad」といった、単純な言葉によって人々を扇動するものである、と。しかしご質問のなかでおっしゃられたように、トランプの言語運用はレトリックとして優れているという見かたは十分に可能だと考えます。

　おそらく、このあたりにレトリックの議論は貢献しうるのではないでしょうか。いっけん稚拙に見えるトランプのレトリックが、なぜ効果をもってしまうのか。これは、じつは崇高の問題とも深く関係しています。ロンギノス以来の修辞学の伝統において、崇高さとは長ったらしい弁舌ではなくて、むしろ単純な言葉、極端なケースではひとつの単語のなかにこそあると考えられてきました。そうすると、トランプの演説こそ、むしろ崇高の典型的なケースであるとも言えてしまう

研究でも知られる。著書に『ポピュリズムとは何か』、『試される民主主義』など。

29｜**シャンタル・ムフ**　一九四三年生まれ。ベルギー出身の政治思想家。ポスト・マルクス主義を代用する理論家のひとり。ラクラウとともに「ラディカル・デモクラシー」やポピュリズムをめぐる理論に大きく寄与した。また「熟議民主主義」に対する批判的な視座から、対立や敵対を重視する「闘技的民主主義」の概念を展開する。著書に『民主主義の逆説』、『左派ポピュリズムのために』など。

わけですね。わたしはそういう観点からトランプ現象を見ているので、総じて見事な弁舌をふるう欧米の政治家のなかで浮いているトランプの演説が、現代にもっとも適合した崇高な言説であるという評価ができてしまうことの問題を、自分の専門との関わりで考えられるのではないかと思っています。

質問者3──いま言われた政治の問題にはなるほどと思いました。単純なレトリックによって人々を巻き込むポピュリズムは、同時にみずからと異なる共同性を否定してしまう。それが、今日の分断された社会状況につながっているのかなと感じています。そこで、貧しい言葉で大きな共同性をつくり上げていくポピュリズム的な方法とは異なるレトリックの可能性というか、単一の強い共同性には回収されないような言葉の複雑さを回復することはできないものでしょうか。

星野──これはひとりの個人としての答えになりますが、ここのところ「秘密結社」的なものが必要ではないかということをよく考えます。共にあるという様態をポピュリズム的に開いていくのではなく、むしろ積極的に閉じ込めていくということです。これはハンナ・アーレント[30]がいう公共性の暴力にもつながってくる問題ですが、すべてを公のもとにさらすことにはどうあっても暴力性がともなうので、それに対して私秘的（プライヴェート）な領域をどうにかして確保しなければ

30──**ハンナ・アーレント**
一九〇六─七五。ドイツ出身の哲学者。二〇世紀においてもっとも影響力のあった哲学者のひとり。全体主義の思想的・歴史的解明を行なった『全体主義の起源』や、人間の「活動的生」の分析から近代社会を批判した『人間の条件』など、多様な領域にわたって独創的な著作を残した。その他の著書に『革命について』、『イエルサレムのアイヒマン』など。

ばならない。今回の話でいえば、複雑なレトリックによって織りなされる言説空間を、いかに確保していくかという問題でもあります。もちろん、二〇世紀の思想にしても美術にしても、そうした高度なマニエラが閉塞感を生んできたことも事実なので、これがある種の反動に陥っていないかどうかはつねに疑っていく必要がありますが。

岡本――「秘密結社」の必要性、というのはおもしろいですね。実はジョルダーノ・ブルーノも「隠蔽」について印象深いことを語っていて、真実、真理を隠蔽する技術の必要性を説いています。真理は、それを理解できる人が現れるまでは、群衆の眼から隠しておかなければならない、と。なぜなら――ここからがブルーノらしい逆説なのですが――真理は共同体に害悪をもたらすからです。万人が等しく真理を理解できるわけではありません。真理を理解するだけの能力をもたない人々は、真実を知ったとしてもそれを受け入れられず、かといってそれまでのような生き方もできなくなり、そうした人々の過剰で無軌道な反応が共同体の関係性を壊してしまうのです。これは裏を返すと、共同体には真理は必要ない、ということとなります。逆説的ながら、共同体の成立に真理はいらないし、それどころか真理は邪魔になるというのです。

このとき「隠蔽」とは、共同体から真理を守りながら（同時に真理から共同体を守りもしつつ)、遠く離れたふさわしい相手にだけ真理を送り届けるという、ひとつのレトリックです。

レトリックというと、僕らはついつい眼前の他者にはたらきかけるものと考えがちで、ほとんど即効性やアクチュアリティの観点からしかレトリックをとらえられていません。広告などのイメージのレトリックは大衆に即座に反応してもらうことを目指していますし、芸術もそのレトリカルな局面に集中すればするほど、眼前の観客、今現在の社会共同体に直接的にはたらきかけようという社会参加型の作品になりがちです。

しかしながら、レトリックには、長期的な時間のなかで作用するもの、時間的に隔たった相手にはたらきかけるものもありえるはずです。隠蔽はその極端な一例ですが、先に話題にした引用もここに数え入れてよいでしょう。こうした、即時にではなく時差をもってはたらくレトリックについても、あわせて考えるべきではないかと思います。

星野――おもしろいですね。即時的な反応とは異なる、時代を隔てた長期的な反応をもたらすようなレトリックを考えなければならない。これは岡本さんがつねづね考えられているアナクロニズムの問題にもつながってくるのではないかと思います。そもそも人文学にはアナクロニズムが欠かせません。わたしの本で言えば、二〇〇〇年前のロンギノスのテクストが、現代の状況と奇妙にリンクしているところがある。ロンギノスが書いている民主制の危機というのは昨今の状況を言っているようにしか思えないところもありますし、さきほどの「真実」をめぐるブルーノの指摘もきわめて現代的ですよね。人文学が人間の営みであればこそ、はるか過去の思想が、あえて意図せずとも現代的な問題につながってくるのだろうと思います。

対談 3

塩津青夏×星野太

美学的崇高 vs. 修辞学的崇高?
——崇高における像と言語

塩津青夏｜しおつ・せいか
1985年生まれ。国際芸術祭「あいち」組織委員会プロジェクト・マネージャー。専門は近現代美術史。2010年より愛知県美術館学芸員。2017年より愛知県トリエンナーレ推進室主任。担当した主な展覧会に、「『月映(つくはえ)』」(2015年)、「ピカソ、天才の秘密」展(2016年)など。

司会―美術史の領域で「崇高」という概念が取り沙汰されるのは、多くの場合、バーネット・ニューマン[1]をはじめとする抽象表現主義の絵画をめぐってではないかと思います。ところが星野さんの『崇高の修辞学』では、そういった美術史における「崇高」概念の運用は、実は本来の修辞学的崇高からはかなりかけ離れた解釈に基づいているとして、議論の本筋からは外されています。そこで本日は、この美術史における崇高という概念のもとで言葉とイメージがどのような関係を取り結んでいるのかについて、お話しいただきたいと思います。

星野―いま言っていただいたように、『崇高の修辞学』は、美学や美術史における崇高の話題は意図的に排除しつつ執筆しました。ですが、これらの分野における崇高概念がわれわれにとって重要なものであることは言うまでもありません。そのようなわけで、今回はわたしの本では明示的に書かなかったことも含めて、広く話題にできればと思っています。

塩津―ではさっそく、星野さんが言うところの「美学的崇高」について、美術史の立場からお話ししたいと思います。われわれがいま一般に「崇高な美術」や「崇高な絵画」と言われて思い浮かべるもの、つまり視覚的な体験について言われる崇高さとはどのようなものなのかということを、バーネット・ニューマンという

1―**バーネット・ニューマン**
↓一二二頁［対談2―註5］

アメリカの画家の作品を中心にお話ししたいと思います。

みなさんが崇高という言葉を聞くと、「偉大なもの」や「何かとてつもなく気高いもの」といった内容が連想されるかと思います。今日お話ししたいのは、ニューマンが一九五〇年と五一年に描いた《英雄的にして崇高なる人》〔2〕という作品です。ここではまさしく「崇高」という言葉が作品名に含まれていて、高さが二・五メートル、横も五メートル以上という巨大な作品です。この絵の前に立つと、自分の視覚のフィールドが真っ赤に染め上げられるような体験が生じます。この絵にはところどころ白い線のようなものがあるんですが、それが視界をさえ切るように目に入ってきて、全体像を把握することができないようになっている。このような絵画を見ると、まさしくこれが崇高だな、とみなさんも納得されるのではないでしょうか。今日はこの作品からさかのぼって、三つのことについて簡単にお話ししたいと考えています。

一つめは「北方ロマン主義の伝統と崇高」です。二つめに、「有限」と「無限」というキーワードから、崇高な絵画の話をしたいと思います。われわれはカントが『判断力批判』（一七九〇）において設定した「美学的崇高」という近代の崇高のパラダイムのなかにいるわけですが、「有限」と「無限」、あるいは「形式」と「不定形」といったキーワードを通じて、崇高さとはいったいどのようなもので

2―《英雄的にして崇高なる人》
一九五〇年から五一年にかけて制作されたバーネット・ニューマンの絵画。原題はラテン語で「Vir Heroicus Sublimis」。高さ約二・四メートル、横幅約五・四メートルという巨大な作品で、赤の色面に五本の「ジップ」と呼ばれる垂直線が引かれている。ニューヨーク近代美術館のパーマネントコレクションに所蔵。

ありえるのか、というお話をしたいと思います。そして三つめに、崇高であることの具体的な条件として「対象との適切な距離」が想定される、ということについてお話しします。

まずは「北方ロマン主義の伝統」について。これは、一九七五年にアメリカの美術史家ロバート・ローゼンブラム[3]が刊行した本のタイトルの一部です（『近代絵画と北方ロマン主義の伝統』）。この本のなかでローゼンブラムは、カスパー・ダーヴィト・フリードリヒに代表される一九世紀のドイツ・イギリスなどの北方の絵画における神秘的な傾向、宗教的な精神性を重視する伝統が、ポロック[4]、ロスコ[5]、ニューマンなどの戦後アメリカの抽象表現主義に継承されていったと主張しました。これによって、従来クールベ、マネ、印象派、セザンヌ、キュビスム、マティス……と続いてきた「パリ」から「ニューヨーク」への直線的なモダニズム観を相対化したのです。

たとえばフリードリヒの《海辺の僧侶》[6]（一八〇八－一〇）という作品は、一見すると何が描かれているのかわからないような抽象的な風景画で、実は海辺にぽつんと小さな僧侶が立っている様子が描かれています。この絵を見ると、わたしたち自身がその僧侶に成り代わるようにして、広大な風景が無限に広がっているような感覚や、自分がかくも小さい人間であることを強く感じさせます。神的

3｜ロバート・ローゼンブラム　一九二七－二〇〇六。アメリカの美術史家・キュレーター。一八世紀から二〇世紀までの美術史を主題とした著作を多数発表。とりわけ、フリードリヒからニューマンやロスコに至る「北方ロマン主義」の系譜を提示した『近代絵画と北方ロマン主義の伝統』（一九七五）で知られる。その他の著書に『キュビズムと二〇世紀芸術』など。

4｜ジャクソン・ポロック　一九一二－五六。アメリカの画家。抽象表現主義の代表的な画家のひとりとして知られる。床に広げたキャンバス上に絵筆を使わず、直接絵具をたらしたり、飛び散らせたりといった技法で描かれたその絵画は、描くという行為そのものを強調するものとして

なものの無限性と、被造物の有限性が強く対比されている。そこに生じる疑似宗教的な感情をローゼンブラムは「崇高」と呼んでいます。

マーク・ロスコの《青の上の緑》（一九五四）という作品も、一見したところフリードリヒの作品によく似ています。ロスコも、それが宗教的な感情とほぼ同じだということを言っています。「わたしはただ基本的な人間の感情を表現することにだけ関心があった。わたしの絵と向かい合ったとき、多くの人たちがこらえきれず泣き出すという事実は、わたしたちがこうした基本的な人間の感情に通じていることを示している。わたしの絵の前で涙を流す人は、わたしがそれを描いたときと同じように宗教的な体験をしているのだ」[7]。

このローゼンブラムの本では、ロスコやポロックをはじめとするさまざまな画家が論じられるのですが、ここでは当然ニューマンも取り上げられています。さきほども申し上げた白い縦線のようなもの、これは「ジップ（zip）」というのですが、この様式は一九四八年の《ワンメントI》で誕生しました。この「ジップ」というのは服についているファスナーと同じで、開いたり閉じたりするような構造をもっている。ヨーロッパがもっていた線の意味、つまり、ものを囲むための輪郭線ではなく、それ自体が絵画の構造として絵画を開いたり閉じたりするような機能をもっているということです。

「アクション・ペインティング」と呼ばれた。作品に《秋のリズム：ナンバー30》、《五尋の深み》など。

5｜マーク・ロスコ
↓一二一頁［対談2｜註4］

6｜《海辺の僧侶》
一八〇八年から一〇年にかけて制作されたカスパー・ダーヴィト・フリードリヒによる絵画。画面の大半を占める空と海が、手前に配された海辺に立つ小さな僧侶と対照をなすという構図によって描かれている。現在はベルリンの旧国立美術館に収蔵されており、同時期に制作されたフリードリヒの《樫の森の修道院》とともに展示されている。

この同じ一九四八年に、ニューマンは「崇高はいま」[8]という世にも有名な論文を書いています。ここには「わたしはここアメリカにおいて、われわれのうちの幾人かがヨーロッパ文化の重圧から開放され、答えを発見しつつあることを信じている。いま起こりつつある問題とは、われわれはどうやって崇高な芸術を創造していくことができるかという問題である」[9]と書かれています。第二次世界大戦後のアメリカにおいて、崇高な芸術をどのように生み出すべきかと世に問うたわけです。

そのなかに、「形は形なきものになりえる（Form can be formless）」[10]という興味ぶかい一文が出てきます。「崇高はいま」のなかでは、それまでのヨーロッパの美術は美と崇高を混同してきたとしてひとまとめに批判されます。たとえばゴシックやバロックにおいて、崇高なものは形を破壊しようとする欲望をはらんでおり、そこで形は形なきものになりえるのだ、と。

先にお見せした《英雄的にして崇高なる人》はこの論文の数年後に描かれたもので、ニューマンがみずから立てた問いに答えたような作品になっています。さきほども言ったように、この作品の前に立つと、「ジップと呼ばれる線がここからここまであって、ここまで見える」というふうに冷静には見られないんですね。絵画がはっきりとした形をとらずに、ただ茫漠とした赤い視界が現れる、という

7｜出典
Selden Rodman, *Conversations with Artists* (New York: Devin-Adair Co., 1957), pp. 93–94. 翻訳については以下を参照した。ロバート・ローゼンブラム『近代絵画と北方ロマン主義の伝統――フリードリヒからロスコへ』神林恒道＋出川哲朗訳、岩崎美術社、一九八八年、二九八頁。

8｜「崇高はいま」（一九四八）
バーネット・ニューマン「崇高はいま」三松幸雄訳、バーネット・ニューマン『崇高はいま』三松幸雄編訳、Tokyo Publishing House、二〇一二年。ニューマンが一九四八年に『タイガーズ・アイ』誌に寄稿した論考。近代絵画の展開を、美の破壊の欲望、ないし美から崇高への移行としてとらえつつ、それがたんに造

経験が得られます。まさに「形は形なきものになりえる」という言葉を具現化した作品だと言えます。

これと似た作品、たとえばモンドリアン[11]の作品と比較すると、ニューマンの意図がよくわかります。モンドリアンは同じく直線を用いた作品をつくっていますが、こちらは部分と部分を組み合わせて全体を形づくるというやりかたです。部分と部分から全体をつくるという考え方は構成主義そのもので、全体を見たときに部分のバランスを考えるようなものです。いっぽうニューマンの場合、全体が全体でしかありえないような絵画になっています。ここからモンドリアンを美、ニューマンを崇高と言いかえることもできるのかなと思います。

カントの『判断力批判』には「崇高の分析論」という章節があります。ここでカントはいくつかの具体例から崇高を説明しています。たとえば以下のようなものです。「頭上から今にも落ちかからんばかりの険岩、大空にむくむくと盛りあがる雷雲が電光と雷鳴とを伴って近づいてくる有様、すさまじい破壊力を存分に揮う火山、一過したあとに惨憺たる荒廃を残していく暴風、怒涛の逆巻く無辺際な大洋、夥しい水量をもって中空に懸かる瀑布等［……］我々はかかる対象を好んで崇高と呼ぶのである」[12]。ここであげられた自然現象は安定した形態をもっていたり、全体のバランスがとれたものではなく、つねに動き回って、不安定

形性の枠組みでの試みにとどまっていた点を批判。そのうえで、同時代のいくばくかの画家がそのような西洋文化のくびきから逃れつつあることを評価する。

9｜**出典**　ニューマン『崇高はいま』前掲書、二〇―二二頁。

10｜**出典**　ニューマン『崇高はいま』前掲書、一六頁。

になっている、どちらかというと形なきものです。こういった考え方に、どこかカントとニューマンの接点があるように思えます。

ここで、ニューマンの絵画も距離をとって見れば安定した形態があるじゃないか、と思われるかたもいらっしゃると思います。この対象と鑑賞者の距離についても、カントはおもしろいことを書いています。「サヴァリ（ナポレオンのエジプト遠征に帯同した人物）はエジプトに関する記述のなかで、ピラミッドのもつ量から間然するところのない感動を受けるためには、ピラミッドに近づきすぎてもいけないし、さりとてまた、ピラミッドから遠ざかりすぎてもいけないと書いている」[13]。つまりピラミッドに近づきすぎると、岩のデコボコした表面は見えるかもしれないけれど、全体像はわからなくなってしまう。かといって遠ざかりすぎると、遠くに小さな三角形があるようにしか見えなくて、どういう石でどのようにできているのかということはわからなくなってしまう。ピラミッドから完全な崇高さを感じ取るには適切な距離が必要なのではないか、ということをカントは書いているわけです。ニューマンも同じようなことを言っていて、一九五一年にレディ・パーソンズ・ギャラリーで行なわれた個展で、《英雄的にして崇高なる人》のキャプション・パネルに次のように書いています。「一般的に巨大な絵画は距離をとって見られる傾向がある。しかし本展覧会における巨大な絵画は、近い距離か

11｜**ピート・モンドリアン**
一八七二─一九四四。オランダの画家。テオ・ファン・ドゥースブルフらともに「デ・スティル」を結成し、「新造形主義」を提唱。三原色および無彩色と水平線と垂直線の組み合わせ構成されたその作品は、抽象絵画に先鞭をつけるのみならず、建築やデザインなど多様な分野に大きな影響を与えた。作品に《ブロードウェイ・ブギウギ》、《赤・青・黄のコンポジション》など。

12｜**出典**
カント『判断力批判（上）』篠田英雄訳、岩波書店（岩波文庫）、一九六四年、一七三─一七四頁。（旧字等は一部書き改めた）

ら見るように意図されている」。たしかに巨大な絵画だと、われわれは全体を見ようとして「引き」で、つまり距離をとって見てしまうのですが、この絵は近づいて見てくれ、とニューマンは言う。彼は「From a short distance」という表現を使っていますが、近い距離から見ると、自分の絵画が安定した形態・形式をもったものではなく、どこか「無限」のようなものを感じさせる鑑賞の体験になるのではないか、とニューマン本人が考えていたことがわかります。

星野―ありがとうございます。絵画における崇高の問題について、非常にわかりやすく説明していただきました。はじめにも申し上げたとおり、わたしの『崇高の修辞学』は、従来の美学や美術批評における崇高論をあるていど前提としたうえで書いています。ですから、いまのお話は『崇高の修辞学』がどういう言説を仮想敵としているのか、ということを見事に明らかにしてくださったと思います。いまのお話を受けて、ここからはわたしの本の導入に相当する話をしていきます。

そもそも、この『崇高の修辞学』という本でわたしが問題にしようとしたことは、大きく二つあります。ひとつは「崇高」という概念の系譜です。これがこの本のA面に相当すると考えてください。もうひとつは、本書のもう一方のキーワードである「修辞学」の問題で、これがこの本の裏テーマ、言ってみればB面に

13―出典
カント『判断力批判（上）』前掲書、一五七頁。（旧字等は一部書き改めた）

相当するものです。

この本のもとになった博士論文のタイトルは「修辞学的崇高の系譜学」というものでした。わたしの意図は、ある意味でこの「修辞学的崇高」という言い回しに凝縮されています。今日、われわれが崇高という概念を用いる場合、さきほど塩津さんが解説してくださったような美学的な崇高が第一に想起されます。美学的という言い方がわかりにくければ、感性的という言葉でとらえていただいてもかまいません。一八世紀においてはカントが挙げた自然現象が典型的なものでしたが、二〇世紀になるとニューマンやロスコの抽象絵画に対して、崇高という言葉が使われはじめていくわけですね。

このことを考えるうえで象徴的なのが、カントが「崇高の分析論」を書いたとき、おそらくリスボン大地震のことが念頭におかれていたということです。一八世紀半ばに起こったリスボン大地震[14]は当時のヨーロッパに大きな衝撃をもたらした出来事のひとつで、カントのみならずヴォルテール[15]というフランスの思想家も、この地震について『カンディード』[16]という物語を書いています。ほかには劇作家のクライスト[17]が『チリの地震』[18]という小品を書いていますね。カントは直接それについて書いているわけではないんですが、この大地震が、当時のヨーロッパの人々に大きな衝撃をもたらしたことは間違いない。そう

14─リスボン大地震
一七五五年一一月一日にポルトガルのリスボンで発生した巨大地震。推定されるマグニチュードは八・五から九・〇。数万人の死者を出すなど、リスボンを中心に広範囲にわたって甚大な被害をもたらした。災害に関する合理的・科学的な理解や防災機能を備えた都市計画の発展などを促したこの震災は、フランス革命と並ぶ一八世紀の大事件とされる。

15─ヴォルテール
一六九四─一七七八。フランスの作家・思想家。哲学、詩、小説、戯曲、書簡などさまざまな領域にわたる膨大な著作を残す。思想・信教・言論の自由を求める合理主義的な立場を展開、ドゥニ・ディドロらとともにフランスの「百科全書派」を代表する人物とし

した地震や噴火のような、人間の能力をはるかに上回る自然現象を前にしたときにわれわれは崇高さを感じる、というのがカントの崇高論だったわけです。

しかしながら同時に、カントの崇高論にはねじれもあります。カントが崇高と呼ぶのは自然やピラミッドのような外界の対象なのですが、そうした現象を媒介として、人間は自己の内なる理性の崇高さを感じるとも言っている。ここで外なる自然というのは、われわれ人間がもっている内なる理性の崇高さを感じるためのきっかけとして理解されている。つまり、ここには二つの段階があるということです。まず、自然のうちにある強大な現象を前にしたとき、人はその自然に崇高さを見いだすことになる。しかしこれには次のステップがあり、そうした自然現象を媒介として、われわれ人間はみずからの理性の崇高さに目覚めるのだ、と。ここにはそうした二段構えの構造があるわけです。

いずれにせよ、カントにおいて崇高なるものを目覚めさせるきっかけが、外界の感性的な経験であったことは間違いない。ただしカントその人が、そこで芸術作品に言及することはないという事実には注意が必要です。のちに二〇世紀になると、ニューマンやロスコのような画家たちの作品が崇高という言葉と結びつけられていくわけですが、これはある意味でカントの議論を転用――ないし応用――したものでした。

て知られる。著書に『哲学書簡』、『カンディード』など。

16―『カンディード』(一七五九)
ヴォルテール『カンディード』斉藤悦則訳、光文社(光文社古典新訳文庫)、二〇一五年。一七五九年に刊行されたヴォルテールによる小説。主人公のカンディードが、度重なる災難に見舞われながらも世界各地を転々とする冒険譚。リスボン地震などの実際の悲惨な出来事を念頭に置きながら書かれた本書は、同時代を席巻した「最善説」に対する風刺として読むことができる。

これに対し、わたしがこの本で示そうとしたのは、実はそれとは異なる系譜があるのではないかということです。一八世紀のカントから今日にいたるまで、崇高な経験と美の経験というのは対になって考えられることが多いのですが、近代以前の西洋において崇高がどういう文脈で用いられていたかといえば、それは言葉の「あや」、つまりレトリックの文脈においてでした。さかのぼれば、紀元一世紀にロンギノスが書いたとされる『崇高論』という書物のなかで、崇高（ギリシア語では ὕψος）という言葉がはじめて用いられました。そしてロンギノス以来、一七世紀くらいまでの西洋における崇高さとは、言葉の気高さ、偉大さを指すための言葉であったわけです。その場合の「言葉における偉大さ」というのは、詩であれ、演説であれ、それを聞いた人の魂を高揚させる言葉であれば、その種類は問われません。

　これは、前出の自然や芸術のように、もっぱら視覚を通じて経験されるタイプのものとは、やはり系統が違うわけです。言葉を通じて聞き手の心を高揚させるという、言葉に内在する崇高さのほうが、古代から初期近代においてはむしろメジャーな系譜としてあった。しかしこれが近代になると、カントやバークをきっかけとして、崇高という概念そのものが次第に美学的・感性的なものへと移行していきます。今日のわれわれはそれを当然のように受けとっているので、言葉に

17｜**ハインリヒ・フォン・クライスト**
一七七七—一八一一。ドイツの劇作家・小説家。軍籍を離れたのち、一八〇二年頃から創作活動を開始。ドイツ喜劇の名作として名高い『こわれ甕』などの戯曲や、近代ドイツにおける短編小説の出現に先鞭をつけた散文作品を残したほか、ジャーナリズムの分野でも先駆的な貢献をはたした。その他の作品に『ペンテレージア』、『チリの地震』など。

18｜**『チリの地震』（一八〇七）**
ハインリヒ・フォン・クライスト『チリの地震——クライスト短篇集』種村季弘訳、河出書房新社（河出文庫）、二〇一一年。一八〇七年に発表されたクライストの短編小説。一六四七年にチリで生じた大

おける崇高の問題はほとんど顧みられることがない。

そこでわたしが試みようと思ったのは、広く言葉を対象とした崇高論の系譜を、時代としてはやや長いスパンで提示してみることでした。これが本書のA面に相当する部分です。その第I部では、日本ではほとんど読まれていないであろうロンギノスの『崇高論』という作品を、大きく三つの観点から論じています。第II部では時代が一気に近代に飛びます。これは、古代のギリシア・ローマの文献というのが西洋文明のなかで脈々と受け継がれてきたものでは必ずしもなく、ルネサンスの時代における発見を経て、あらためて西洋に導入されたものであるからです。プラトンやアリストテレスのような古典と同じく、このロンギノスの書も、西洋ではじめて出回ったのは一六世紀になってからのことでした。ここでようやく、『崇高論』という書物が、今日で言うところの西洋世界に発見された。

では、一六世紀に発見された『崇高論』という書物は、その後どのような道をたどっていったのでしょうか。一六世紀から一七世紀にかけて、修辞学はいまだそれなりの権威を持っていました。修辞学とは、ごく簡単に言えばいかにいい文章を書くか、素晴らしい演説をするかということに関わるプラクティカルな学問で、今日の「ハウツー本」のようなものだと思っていただければいいかもしれません。つまり、今日で言うところの「ビジネスに使える文章の書き方・話し方講

地震を題材に、引き裂かれたまま死を迎えようとしていた身分の違い若い男女が、地震によって運命を左右されていくさまを克明に描く。

座」に相当するものが、西洋において長らく修辞学と呼ばれていたわけです。しかし、一六世紀ごろを境に修辞学は次第に没落していきます。その理由としてよく言われるのは、修辞学はいつしか細かいテクニカルな話に終始するようになってしまい、いかに人を感動させ、喜ばせるかという肝心な部分がどんどんおろそかになっていってしまったということです。そうして次第に地位を低下させていった修辞学と入れ替わるようにして浮上してきたのが、ほかならぬ美学です。

美学という学問は、一八世紀の半ばにバウムガルテン[19]というドイツの哲学者がつくり上げた学問分野だと言われています。つまり、美学という学問自体まだ三〇〇年弱の歴史しかないわけですが、この学問がヨーロッパで興ったことにはやはりそれなりの必然性がありました。当時は国民国家が誕生しつつあった時代です。そこではかつてとは異なる新たな社会がつくり上げられていくわけですが、そのプロセスのなかで、われわれ人間がもっている「感覚」というものに焦点が当たるわけですね。それまで比較的劣位に置かれていた「感覚」をめぐる問題が、政体の変化や民衆の誕生によってみるみる重要なものになっていきました。そして、まさしくこの時代は、さきほど塩津さんからご紹介いただいた「美学的な」崇高が現れた時期に対応しています。

もうひとつ時代的な背景について触れておくと、一八世紀というのはグランド・

19｜**アレクサンダー・ゴットリープ・バウムガルテン**
一七一四－六二。ドイツの哲学者。ライプニッツ＝ヴォルフ学派という思想的な潮流に棹さしながら多数の著作を発表。学問的なディシプリンとしての「美学」を創始した著作として知られる『美学』は、近代における美学の誕生とその発展に大きく寄与した。その他の著書に『形而上学』、『哲学的倫理学』など。

20｜**グランド・ツアー**
一七世紀から一八世紀にかけて、イギリスの上流階級の子弟が学業の締めくくりとして行なったヨーロッパ周遊旅行。外国語の学習、芸術作品や古代遺跡の鑑賞、各国の上流階級との交流などを目的とした。滞在期間は数ヵ月から数年にわたり、パリなどの主要都市ツアー[20]という風習が始まった時代でもあります。イギリスの貴族たちが南方への旅行を始め、それまで自分の国ではあまり目にすることのなかった広大な自然を目にするようになった。このグランド・ツアーという風習も、崇高という概念の成り立ちには大きく関わっています。結果、一八世紀も半ばを過ぎたころには、崇高という概念はすっかり美学の領域に移っていました。そして、『崇高の修辞学』の第Ⅲ部では、この美学の伝統では見落とされてきた修辞学的な崇高というものを、古代から近代の議論を経て、二〇世紀のミシェル・ドゥギー、フィリップ・ラクー゠ラバルト、ポール・ド・マンという三人の思想家を通じて論じています。とくに言葉を対象とする崇高がどういった問題系を構成しており、そこにどういった哲学的、思想的、批評的な議論がありうるのかを示そうとしたのがこのパートです。

この本のもとになった博士論文では「系譜学」という言葉を使っていました。「系譜学（genealogy）」という言葉は、一般的にはニーチェの『道徳の系譜学』[21]によって知られます。ここでいう系譜学とは端的にいえば発生（genesis）を問う学問のことですが、この発生とは必ずしも直線的なものであるとはかぎりません。まず起源があり、そこから単線的な仕方で歴史が生まれてきたということではない。わたしが「系譜学」に込めた意味合いというのもこれと同じで、そこで「修

を周遊し、最終的にはローマを訪れるというのが一般的であった。

21｜『道徳の系譜学』（一八八七）
フリードリヒ・ニーチェ『道徳の系譜学』中山元訳、光文社（光文社古典新訳文庫）、二〇〇九年。一八八七年に刊行された後期ニーチェを代表する著作のひとつ。序言と三つの論文から構成される。ルサンチマン、負い目、禁欲主義的理想といった概念を手がかりに、道徳的な諸価値の発生や形成をたどる「系譜学」的な議論が展開される。

辞学的崇高」と呼んだ崇高論の系譜も、ただ歴史をたどっていけば直線的に見いだせるようなものではないということです。

このあとの対話に向けて、もうひとつ付け加えておきます。それは、この本のなかで採用した美学的崇高と修辞学的崇高という対立は、ある意味では誇張された対立にすぎないということです。現実的には、美学と修辞学、感性と言葉というように、二つの領域はすっぱりと切り分けられるわけではありませんよね。言葉を用いて会話をしているときにもつねにイメージはつきまとうわけなので、実のところイメージと言葉は密接に関わり合っていると言えます。この二つの言葉を強く対立させたのは、あくまでも戦略的なものでした。今回のイベントのタイトルも「像と言語」と銘打っていますが、この二つがいかなる関係を切り結ぶのかということについては、これからの対話のなかで考えていきたいと思います。

◎対話

塩津――ありがとうございました。まずはこの本が出版された時の状況についてお尋ねしたいと思います。いきなりちょっと話が広がってしまうのですが、昨年（二〇一六年）から今年のはじめにかけて、イギリスのＥＵ離脱が国民投票で決まり、トランプ大統領が誕生するなど世界史的に大きな出来事がありました。さきほどのお話では、リスボン大地震やグランド・ツアーなど、崇高論も社会的な出来事と必ずしも無関係ではいられなかったといった話題もありましたが、二〇一六年に『オックスフォード英語大辞典』を出版するオックスフォード大学出版局が今年を象徴する言葉として「post-truth」を選びました。世論形成において客観的事実が虚偽であっても、個人の感情に訴えかけるものが強い影響力をもつ状況、と定義されている言葉です。

星野さんの『崇高の修辞学』のなかでも、感情や情念を意味する「パトス」という言葉と崇高の関係が考察されています。しかしながら、そうした部分でことさらにパトスを振りかざすということはなくて、むしろそうした世情に抵抗する姿勢を感じました。たとえば、ロンギノスの『崇高論』について書かれた第Ⅰ部では「ピュシス」という言葉が出てきていますが、ここでは感情の高まりが積極的に評価されるいっぽうで、同時にその自由奔放さを手懐ける「方法」という手綱が必要だと書かれています。弁論を行なうときには、語り手が感情を高ぶらせて自由奔放に話すだけではだめだ、ということですね。

もちろん本のなかには同時代的な状況への直接的な言及はありませんし、もともと二〇一四年に提出された博士論文を元にされているので直接の関係はないとは思いますが、本書がこのような時代に出版されたことについて何か考えられたことはあったのでしょうか？

星野——この本を出してから行なった対談やイベントでは、毎回トランプやポストトゥルースの話題になりますね。そのくらい、みなさんが昨今の現象との連続性のもとでこの本を読んでくださっていることをありがたく思います。わたしは、今の政治的・社会的状況というのは、レトリックがなおざりにされている状況であるという感覚をもっていますし、おそらく多くの方もそう思っているのではないかと思います。言うまでもないことですが、言葉を適切に用いるというのは、修辞学という学問に限らず、いついかなる時代においても重要な技術（テクネー）のひとつであったはずです。だからこそ、修辞学も西洋のリベラルアーツのなかで長らく重要な位置を占めていた。

ポストトゥルースという言葉に関しては、若干アンビバレントな印象をもっています。ご指摘のように流行語になったことで広く知られるようになりましたが、さきほど言っていただいたように、そのもともとの意味は事実よりも感情への訴えが世論形成に影響力をもつ、というくらいのものですよね。ただ、いま世の中で起こっていることはそれ以下の事態であって、米国の大統領も日本の首相も、たんにみな嘘をついている。誰もが嘘だとわかっているにもかかわらず、それがことさら問題視されることなく流されてしまう。これは政治としてかなり最悪に近い状態だと思います。

不思議なことですが、わたしがこの本を一読者として読んだときもっともアクチュアルに感じるのは、古代を扱った第Ⅰ部の議論なんですね。ロンギノスが語っているのは古代ローマ帝国の状況であるにもかかわらず、現在の状況に非常によく似ている。たとえばロンギノスは、崇高なテクストというのは過去・現在・未来の緊張関係があってこそ後世に継承されるのに、最近の人間は現在のことばかり考えていて、そうした過去のテクストが継承されなくなってしまうのではないか、という懸念を示している。これは現在の状況に置き換えても通用しそうな感じがしますよね。しかもさらにタイムリーなことに、紀元一世紀のローマ帝国においては、デモクラティア、すなわち民主政が悩ましいものになっているということも言っている。これは昨今の民主主義に対する批判を想起させるものです。

塩津　第Ⅰ部が古代から始まって、第Ⅱ部が近代、第Ⅲ部が現代と続く構成になっていますが、ある意味で第Ⅰ部が論述に一番力が入っているように感じました。古代の基礎的な文献学を丁寧に追っているのが第Ⅰ部のあたりで、はからずも一番時代を隔てている古代が現代とつながってくるというのがおもしろいところです。

次に、内容についてお尋ねする前に、『崇高の修辞学』における星野さんの文体についてお聞きしたいと思います。本書は非常に明晰な文体で書かれていて、比喩を並べて冗長に書いていくというスタイルではなく、ミニマムな装飾を加えながらもロジカルに議論を前に進められており、読者がスムーズに議論を追うことができるようになっています。もちろん、『崇高論』という書物が文体や弁論術を扱ったものである以上、そのことには自覚的でいらっしゃるでしょうし、もともと博士論文というアカデミックな論文がベースにあるという理由もあると思います。たとえば、本書ではロンギノスの同じ言葉が繰り返し引用されるのですが、それによってページをさかのぼらなくとも読めていけるような、読者をどんどん前に進める力があると感じました。そのあたりで、何か工夫されたことはあるのでしょうか？

星野｜そうですね、三つほどお答えしたいと思います。

まず、もしもこの本が明晰に書かれているように見えるとすれば、その最大の理由は、この本が「崇高な言葉」について論じている本だからでしょうか。この本のエピグラフには、かつてナポレオンが言ったとされる「崇高と滑稽は紙一重である」という言葉を掲げました。これは崇高をめぐる古い警句として知られています。じっさい修辞的な崇高さについて論じる場合、崇高な修辞を駆使してそれを論じるというのもパフォーマンスとしてはおもしろいかもしれませんが、失

22｜**奥村雄樹**
一九七八年生まれ。美術家。現在はマーストリヒトとブリュッセルを拠点に制作活動を行なう。ヴィデオ・パフォーマンス・テキスト・キュレーションといった多様な媒体を横断しながら、「私」の不確定性や作者性などを主題としたコンセプチュアルな作品を展開。翻訳も多数手がける。作品に《帰ってきたゴードン・マッタ＝クラーク》など。

23｜**出典**
星野太『奥村雄樹――ジュン・ヤン』美学出版、二〇一三年。

敗すると無残ですよね。崇高さは、そうした滑稽なものに転落する危険性をつねに含みもっている。なので、この本のテーマを決めた時点で、文体はなるべく抑制的にしようと努めました。それがこの本の内容にもっとも適していると考えたからです。

ですので、いつもこういう文体で書いているわけではないんですね。たとえば、アーティストの奥村雄樹[22]さんによる《ジュン・ヤン　忘却と記憶についての短いレクチャー》(二〇一二)という作品について短い本[23]を書いたときには、論じる対象である作品と、自分の文章をパフォーマティヴに一致させるという実験をしてみました。そんなふうに、論じる対象それぞれにもっともふさわしい文体があると考えているので、今回の場合は、崇高さやレトリックについて論じながら、ある意味それとは対極にある抑制的なスタイルで書いてみたわけです。

二つ目の理由としては、ちょっとこういうことをやってみたかった、という単純な理由もあります。個人的にはきらびやかな文体で書かれた文章は嫌いではありません。わたしがもっとも影響を受けた書き手のひとりに松浦寿輝さんがいます。松浦さんの、とくに若い頃の文章には独特なスタイルがあって、とくに大学時代には大きな影響を受けました。

もう何年も前のことですが、その松浦さんがこんなことを言っていたんですね。

いわく、最近は加藤周一[24]を読んでいる。加藤周一という人の文章はけっして派手なものではないけれども、あれはあれでひとつの文体なのだ、と。つまり、はっきりそれとわかる派手なレトリックも文体のひとつなら、反対にそうしたものを人に読み取らせないような抑制的な文章も、同じくひとつの文体だということですね。そんなニュートラルな、誤解をおそれずに言えば「書類」のような本が書きたかったというのが、またべつの動機としてあります。

これは、博士論文において行なうのがもっとも適していた、ということはありますね。二冊目、三冊目となると、もうちょっと自分の文体を盛り込みたいと考えるはずです。これも誤解をおそれずに言えば、博士論文というのは学位を得るための書類のようなものですから、いったんそのことを徹底的に引き受けるとどうなるか、ということをやってみたくなったんです。つまり、三部構成で各三章、各四節ずつ、という構造をかっちりと決めて、なおかつ各節の文字数もほぼ揃えるというような、そこまでやる必要がないところまでやってみました。あえて言うなら、形式がもつ緊縛性を使って遊んでみた、という感じでしょうか。

三つ目として、これは舞台裏を晒すようですが、第I部の主題であるロンギノスの『崇高論』の教えを実践しようとした、ということもあります。そこでは、引用という言語行為が、過去の古典的なテクストを現在に甦らせるものであると

24｜**加藤周一**
一九一九―二〇〇八。批評家・作家。戦後日本を代表する知識人のひとり。自然科学から人文科学にわたる該博な知識と明晰な文体に支えられた、文学・芸術・政治など幅広い分野におよぶその著作は、各国語に翻訳され国際的に高く評価された。六〇年代以降はブリティシュコロンビア大学をはじめ国内外の大学で教鞭をとった。著書に『日本文学史序説』など。

25｜**ヴィクトル・ユーゴー**
一八〇二―八五。フランスの詩人・小説家・政治家。一九世紀フランスを代表する作家のひとり。若くしてロマン主義運動の主導者と目され、古典主義に代わる新たな演劇理論とその実践を展開。共和主義者としてナポレオン三世の

書かれているわけですが、いわばその実践篇ということです。本書における引用は、たんに論証の証拠として示すのではなく、地の文とのあいだに緊張関係をもたせることを意識しました。だからこそ、各章にエピグラフを添えているわけですし、繰り返しをいとわず、特定のテクストを何度も引用するということをやっています。

塩津―ナポレオンの引用というのは、どういう場面で言われた言葉なんでしょうか？

星野―「崇高と滑稽は紙一重である」というそのままのフレーズではないのですが、ナポレオンの侍女が書いた日記のなかに、これに近い言い回しが出てきます。それが、のちにことわざのように広まっていったというのが実情のようです。確認できるところでは、ヴィクトル・ユーゴー[25]とフロイト[26]は、この言葉をナポレオンの言葉として引いています。

塩津―ナポレオンの名言で、これも本当に言ったのかはわかりませんが、「大きなものは素晴らしい」というのがあったと思います。それが崇高に近いのかなということを、お話を聞きながら思いました。ジャック＝ルイ・ダヴィッド[27]が描いた《ナポレオン戴冠式》（一八〇五―〇七）を見て言った言葉だったはずなんですが、ナポレオン自身は背が低かったので、それがある意味「崇高と滑稽は紙

帝政に断固反発し、五一年から約二〇年間の亡命生活を送る。作品に『エルナニ』、『レ・ミゼラブル』など。

26｜ジークムント・フロイト
一八五六―一九三九。オーストリアの神経科医。神経症や夢の分析から「無意識」を理論化し、精神分析学の基礎を築く。後期には「エス・自我・超自我」という三つの審級を基礎とした「自我心理学」を構築。その著作は、精神医学のみならず、哲学・宗教・芸術など広範な分野に多大な影響を及ぼした。著書に『性欲論三篇』、『自我とエス』など。

一重」なのかなという感じもしました。
もうひとつ質問させてください。第三部ではミシェル・ドゥギー、ポール・ド・マン、フィリップ・ラクー＝ラバルトといった現代の思想を丁寧に追っているわけですが、リオタールをはじめ、二〇世紀後半のフランスにおいてなぜ崇高が注目されたのかということです。ドゥギーが編集した『崇高とは何か』という本がフランスで出版されたのが一九八八年で、ここに崇高についてのいろいろな議論が収められています。美術史的に見ると、一九八〇年代というのは写真、映像、パフォーマンスをはじめとするさまざまなメディアが出てきた時代で、崇高をめぐる議論の火種になるような作品が出てきたとは言えないのではないか、と個人的には思っています。そのなかで、崇高という言葉がフランスの思想家のなかで注目を浴びて、そこからいろいろな人たちが論じはじめたのかなと思いました。

星野　そうですね。「美学」「批評」「哲学」という三つの領域に即して考えてみると、いくつかの理由が挙げられると思います。美学については、八〇年代にハル・フォスター[28]が編集した『反美学』[29]（一九八三）という本が出ましたよね。もちろん広い意味での「反美学」的な傾向というのはアヴァンギャルド以来ずっと存在していたと思いますが、そうした反美学的な傾向が八〇年代に目立ってきた。そのなかで、「崇高」というタームに白羽の矢が立ったのではないかと思い

27―**ジャック＝ルイ・ダヴィッド**
一七四八―一八二五。フランスの画家。新古典主義を代表する画家のひとり。厳格な構成や優れた写実性を伴った歴史画や肖像画などを多数残す。ナポレオン一世即位後はその庇護を受けて画壇に君臨し、その後の絵画に大きな影響を与えた。作品に《ホラティウス兄弟の誓い》、《ナポレオンの戴冠式》など。

28―**ハル・フォスター**
一九五五年生まれ。アメリカの美術史家・批評家。「オクトーバー派」の第二世代にあたり、現在もっとも知られる美術批評家のひとり。精神分析や批判理論、ポスト構造主義などの知見に依拠しながら、二〇世紀以降の芸術や建築を論じる。著書に『デザインと犯罪』、『アート建築複合態』

ます。

批評に関しても、さきほどの美学とほぼ重なるのですが、どのジャンルにおいても従来の形式を遵守するタイプの作品が時代遅れになっていった。そして、むしろ形式からの逸脱のほうが強調されることになります。その場合、従来の伝統的な美学を「美の美学」、そうではないオルタナティヴな美学を「崇高の美学」として整理してもいいでしょう。絵画の文脈では、さきほど塩津さんも紹介してくださったロバート・ローゼンブラムが代表的な論客ですよね。昔、ほかの批評ジャンルにおける「崇高」についても調べたことがあったのですが、意外に音楽批評のなかで使われているということがわかりました。よくあるのが、メルツバウ[30]のようなノイズミュージックを論じるときに崇高（sublime）という言葉が使われるケースです。こうした傾向が目立つようになったのも、やはり八〇年代から九〇年代にかけてのことだと思います。

もうひとつ、哲学や思想の領域でなぜ崇高が流行したかということについてですが、おそらく表象不可能性の問題が関わっていると思います。八〇年代の半ばに、クロード・ランズマン[31]の『ショア』という映画が公開されました。この映画はアウシュヴィッツの強制収容所を扱った映画ですが、そこでランズマンがとった方法というのが、収容所の悲惨なイメージをいっさい描かないというもの

など。

29—**『反美学』（一九八三）**
ハル・フォスター編『反美学——ポストモダンの諸相』室井尚＋吉岡洋訳、勁草書房、一九八七年。ハル・フォスターの編集による一九八三年に出版された論文集。フォスターによる序文と九編の論考からなる。ポストモダニズムをめぐるさまざまな問題を、美術、建築、音楽、映画、文学など広汎な領域にわたって批判的に論じた評論集として知られる。

でした。つまり、収容所にかかわる記録映像などはいっさい用いず、数少ない生存者のインタビューを、それも決して雄弁に語るわけではない生存者たちの九時間にもおよぶインタビューを通じて、逆説的に収容所の表象不可能な悲惨さを伝えようとした。このランズマンの『ショア』をきっかけとして、いわゆる「表象不可能性」の問題が現代思想の業界で流行しました。ところで崇高というのは、カントの定義によると、表象不可能な対象を前にしたときの経験であると言ってもよいわけですね。おおよそそうした議論のなかで、崇高というものが引き合いに出されるにいたったのではないかと考えています。

塩津―ありがとうございます。最後に話された表象不可能性という議論は、さきほどわたしからお話ししたバーネット・ニューマンの抽象絵画と相性がよいのかなと思います。ニューマンにもホロコーストを念頭においていたであろう作品があると言われています。《十字架の道行き》[32]（一九五八―六六）という一四枚の連作がそれです。「十字架の道行き」というのはもともとキリスト教の伝統的な題材で、キリストが死刑を宣告されてから十字架に架けられるまでを一四の場面に分けて描くというものです。それを、さきほどの「ジップ」を使って白黒で描いているんですね。キリスト教にまつわるタイトルが用いられているものの、ニューマンはユダヤ人でした。しかも本人が《十字架の道行き》を展示したときに、

30―**メルツバウ**（**MERZBOW**）
ノイズミュージックシーンの草分け的存在として世界的に活躍する、秋田昌美によるソロプロジェクト。八〇年代初頭より活動を開始し、リリースタイトル数は五〇〇を超える。国内外で高く評価され、コラボレーション作品も多い。近年では、ヴィーガン（完全菜食主義）を実践し、アニマルライツをテーマに作品を制作する。

31―**クロード・ランズマン**
↓八二頁［対談1―註45］

32―**《十字架の道行き》**
一九五八年から六六年にかけて制作されたバーネット・ニューマンによる連作の絵画。伝統的な主題である「十字架の道行き」を題材とした一四枚の絵画からなる連作で、後

この作品の主題は「叫びだ」と説明しています。八〇年代に崇高論が流行したときに、ニューマンをはじめとするアメリカの抽象表現主義が注目されたのは、そこにつながってくるのかなと思いました。

最後の質問になりますが、第Ⅲ部のタイトルに「崇高の脱構築」という言葉が使われています。崇高を定義しようとすると、それは不可避的にパラドクスをはらんでしまうわけですよね。そのパラドクスを提示することで崇高概念の脱構築をはかり、これまで支配的だった近代的な美学的崇高というパラダイムを移行させようとされている。ただ、たとえばこの本のなかでも取り上げられた「光」のイメージというものがありますよね。眩しければ眩しいほど崇高なのだけれど、眩しければ眩しいほど見えなくなってしまう、という。極端な言い方になってしまうのですが、そうするとこれは崇高である、これは崇高ではない、と議論を永久に先延ばししてしまうことになりかねないという問題が、この崇高の脱構築にはあるのかなとすこし気になりました。

星野――非常に重要な論点ですね。これについては二つの仕方でお答えしたいと思います。そもそも、自分が崇高の問題を考えるさいのもっとも重要なモチーフが「いかにして超越的ではない崇高論を構築するか」ということなんですね。崇高というのは、言葉の成り立ちからして容易に超越性と結託してしまう概念です。

期ニューマンを代表する作品のひとつ。一九六六年にグッゲンハイム美術館で開催された、ニューマンの美術館での初個展「十字架の道行き――レマ・サバクタニ」で発表されている。

ギリシア語の「崇高」にあたる「ヒュプソス（ὕψος）」という言葉はそもそも「高さ」という意味ですし、ラテン語の「スブリミス（sublimis）」にしても、やはり上の方に登っていくというイメージをもった言葉でした。英語の「サブライム（sublime）」、フランス語の「シュブリーム（sublime）」、ドイツ語の「エアハーベン（erhaben）」も同じで、これらもすべて上方、上昇という意味を含んでいます。

そうなると、そこには超越性、もっと平たく言うと神の問題が安易に導入されてしまいます。事実、崇高と超越、という二つの概念はかなり結びつきが強いのですが、しかし、超越的ではないかたちで、いわば「内在的な崇高」のようなものとして今日的な崇高の問題を考えてみよう、というのが以前からの大きなモチベーションとしてありました。

たとえばリオタールという二〇世紀フランスの哲学者がいますが、わたしの考えではリオタールの崇高論の核心にあるのも実は超越的ではなく、内在的な崇高だと思うんですね。あるところでリオタールは、資本主義というのは崇高であると言っているんですが、この場合の崇高さにいわゆる神学的な超越性はありません。この社会に徹底的に内在し、たえず差異を生産しつつ、そこから利潤を生み出すという内在的な運動が資本主義であり、それこそが崇高の今日的な形態なんだということをリオタールは考えていた。わたしはこのことに以前から興味があ

33―**『オール・イン・ザ・ファミリー』**
一九七一年から七九年にアメリカのCBSで放映されていたシチュエーション・コメディのテレビシリーズ。労働者階級の父親とその家族を中心として物語が展開する。人種主義や反ユダヤ主義、同性愛など従来のコメディでは扱われてこなかった題材を積極的に取り上げたことで、大きな反響を呼び、人気シリーズとなった。

りました。

それに絡めて言うと、わたしが『崇高の修辞学』で「修辞学的崇高」と呼んでいる議論は、実はある段階で二つに分裂しています。はじめは「美学的崇高」とは異なる、言葉を対象とした崇高論として「修辞学的崇高」という言葉を使いはじめています。ところが第Ⅲ部に入ると、この「修辞学的崇高」という言葉にはもうひとつの役割が与えられるようになるんですね。はっきりそう書いてはいないんですが、『君の名は。』の彗星のようにこっそり途中で分かれるようなかたちになっていて（笑）、最終的には今こうして使っている言葉のなかに、いついかなる時にも発生してしまうようなヒビ割れのようなものとして、やはりこの「修辞学的崇高」という言葉を用いました。ポール・ド・マンを論じた最終章（第九章）では、それを「テクスチュアル・サブライム」とも呼んでいます。

第九章では、ド・マンによる『オール・イン・ザ・ファミリー』〔33〕というテレビドラマのワンシーンの分析を紹介しています。これはどういうものかというと、アーチー・バンカーが自分の配偶者と会話をしている何気ない場面なんですね。アーチー・バンカーはこれからボウリングに行こうとしているのですが、彼のパートナーがボウリング・シューズのひもを上から通しましょうか、それとも下から通しましょうか、と訊いてくる。そこでアーチーは「What's the difference?」と言うんですよ。これは、われわれが学校で教わる修辞疑問文、つまり「いったい何の違いがあるのだ？」という反語的な表現であり、「違いなどないではないか」という苛立ちの表明であるわけですね。ところが、それを「どんな違いがあるんだい？」という文字通りの疑問文として受け取ったバンカー夫人は、靴ひもを上から通すことと下から通すことの違いについて「こういう違いがあるのよ」と延々説明をしはじめる。そこで、いやいやそうじゃないでしょうと笑いが起きる、そういうコメディです。

これこそが、わたしがこの本で「テクスチュアル・サブライム」という表現によって言おうとした典型的なケースです。「What's the difference?」はもちろん疑問文としても受け取ることができるし、修辞疑問文として受け取ることもできる。ド・マンの慧眼は、ふつう二者択一におかれるこの区別が、本当に可能なのだろうかという問題を提起したことにあります。ド・マンはさらに、この問題をある詩篇に即して展開しています。それはイエイツの「学童に交わりて」という詩にみられる同じような修辞疑問文なのですが、そこには「踊り子と踊りをいかにして切り離しえようか」という一節があります。これは、一般的には修辞疑問文として、つまり、踊り子と踊りを切り離すことなどできない、という詠嘆として読まれているんですが、ド・マンはこれを疑問文として読んだほうがより深みがあると言うんですね。ふつう、疑問文よりも修辞疑問文のほうがより複雑なものだとわれわれは考えがちだけれども、それは必ずしもそうではなくて、場合によっては修辞疑問文よりも疑問文のほうがよりレトリカルであるということもありえるのだ、と。そうした、リテラルな言葉とレトリカルな言葉の二項対立に揺さぶりをかけるということを自分なりにやってみたかったんですね。

司会――お二人とも興味深い議論をありがとうございます。わたしから、冒頭に問題設定として挙げた言葉とイメージの関係について、さらにもう少しお伺いしたいと思います。星野さんの本のなかには、「パンタシアー」という概念が繰り返し重要なものとして登場します。人が人に言葉を用いて何かを伝えようとするとき、そこには何らかのパンタシアー＝イメージが介在していると考えたとき、ロンギノスはそのイメージをどのようなものだととらえていたのでしょうか。あるいは近代の哲学者たちはこのイメージというものをあまり肯定的にとらえていないように見えますが、これはなぜなのでしょうか。

そしてもう一つこれに関連して、そもそも崇高はどこに宿るのか、つまりそれは言葉に内在しているのか、あるいは伝達された感情や情念の中にあるのかについて、それぞれの論者はどのように考えていたのでしょうか。

星野──いま質問していただいたギリシア語の「パンタシアー」という概念は、今日ふうに「ファンタジア」と読むこともできます。わたしの本では、これについて論じている章が多いんですね。とくに第二章、第四章、第五章で出てくるのですが、今日はここまで話題に出てきませんでしたので、まずはその補足をしておきたいと思います。

まず「パンタシアー」とは、ほぼ今日で言うところの「イメージ」に相当する言葉です。従来の翻訳でも「イメージ」や「表象」、場合によっては「想像力」といった語彙に翻訳されてきました。それでは、なぜロンギノスの『崇高論』という書物で「パンタシアー」が重要になってくるのかというと、ロンギノスは詩や演説などで言葉を発するときに、「パンタシアー」の伝達が重要だと考えたからです。しかも、ロンギノスはその具体例として、妄想や幻覚をはじめとする、明らかに狂気に根ざしたケースを好んで用いています。

これは思想史的にはきわめて重要なことです。ロンギノスとほぼ同時代のストア派の人々にとって、理想的なパンタシアーというのはあくまでも現実に対応物を持つイメージでした。ストア派というのはイメージ一般をかなり細かく分類していて、そのなかでも理想的なのは、実在的な物事に対応するパンタシアーだとしています。

かたや、ロンギノスはこれとまったく逆のことを言っているわけですね。つまり、ふつう錯覚や幻覚と言われてしまうようなイメージを非常に高く評価しており、あまつさえそれこそが詩や弁論においてもっとも重要であるとすら考えた。実はこれが、のちの一八世紀におけるロマン主義文学のモデルとして「発見」されることになるわけです。ロマン主義の文学においても、しばしば狂気や幻覚、さらには麻薬による幻覚体験などが重視されていました。そうしたロマン主義的な文学観の古い先駆者として、しばしばロンギノスが引き合いに出されることになります。

もちろん、ロンギノスが評価するような狂気や幻覚に根ざしたイメージは長らく非難の対象でもありました。ボワローやバークといった、ロンギノスを近代に甦らせた人々は、ロンギノスの書物からそういうイメージ論を排除しようとすらした。たとえばボワローという人は、そうした部分をおのれの『崇高論』の仏訳からあからさまに排除しています。ですので、ロンギノスにおける「パンタシアー」の問題は、後世における受容の問題を考えるうえでも重要なトピックのひとつです。

それから、崇高はどこにあるのかということですが、これは美学一般においてよく問われるものですね。小林秀雄の「美しい花がある。花の美しさというものはない」という有名な言葉もありますが、美というのが対象の側にあるのか、それを感覚する主体の側にあるのか、というのは美学一般の問題です。崇高というのが対象の属性なのか、それとも対象によって引き起こされる感情なのかは、曖昧なままに書かれているものがほとんどだと思います。わたしもそこにはあまり深入りしませんでしたが、両者は不可分であり、主観と客観の相互関係のなかにあるというのが、もっとも穏当な答えだと思います。

おそらくイメージにもそういうところがあって、たとえば「パンタシアー」という単語は「パイネスタイ」という「現れる」を意味する動詞の中動態から発生しているんですね。これはとても示唆的だと思うのですが、主観でも客観でもない中間的な性格というのでしょうか、そういった性格を、今日の「イメージ」の語源である「パンタシアー」のなかに探っていくのも重要なことだと考えています。

塩津　両者が不可分である、というのが穏当な答えだというのはそのとおりですね。ただおもしろいのは、芸術家たちがしばしば作品に感情や情念を込めた、という言い方をすることです。ロスコもニューマンもそうですが、どこかアンチ・フォーマリズムなところがある。批評家たちは色がどうとか形がどうとか言うけれど、われわれが描いているのは人間の感情なんだ、そこにそれがあるんだ、ということまで言ってしまうわけで、それが非常におもしろい。

ロスコは、「わたしの絵を見て涙を流す人がいるが、それを見て涙を流す人は、それを描いたわたしと同じ経験をしているのだ」といった言い方をしているんですよね。絵画を通して、画家と鑑賞者が経験を共有するという。そうした、いささか宗教がかったところもあるのが抽象絵画でして、それがパトス的なイメージ、あるいはパンタシアーの問題ともつながるのかなと思いました。

星野―たしかに、塩津さんがおっしゃったような議論は、ロンギノスのテクストにもしばしば見られます。パンタシアーというのは、語り手から聞き手へのパトスの伝達、情念の伝達だという議論がベースにあるので、今の話は興味深くうかがいました。一方で、そういう芸術観というのは、作品をコミュニケーションの媒介としてとらえているという見方もできますね。しかし他方では、これはまったくの偶然ではないなと思わされるのですが、二〇世紀の抽象画家たちの多くが神秘主義的な精神性を持っていたこととも無関係ではなさそうです。カンディンスキーやモンドリアン、ロスコやニューマンもそうですよね。そうした神秘主義的な心性から自由であった抽象表現主義の画家というのはポロックくらいだったのではないかとも思いますけれど、いずれにしても、抽象絵画と神秘主義がしばしばペアになっているという事実には、考えるべき問題があると思います。

塩津―戦後アメリカの絵画は抽象表現主義と言われます。そういう言葉でくくられてしまうと、「アメリカのなんとなく抽象的に描いたあの絵でしょ」と思われてしまうんですが、言葉の定義から言うと、どこかロマン主義や神秘主義的な要素があるというのはかなり重要です。「Abstract Expressionism」というのは、抽象主義的にして表現主義的であるということです。たとえば同じような「カラーフィールド・ペインティング」という、モーリス・ルイス［34］やフランク・ステラ［35］といった作家たちをさす言葉があります。彼らの場合もっとドライで、個人的にはルイスやステラを抽象表現主義と呼ぶことにはかなり抵抗があるんですね。もちろん、ニューマンとルイスを比較してみると共通する部分もあるにはあるのですが、ルイスにはどこかロマン主義的、神秘主義的、表現主義的なところがないんです。

星野—抽象表現主義という言葉が定着したこと自体、偶然に左右されたところがあるのかなと思いました。グリーンバーグが一九五五年に「「アメリカ型」絵画」という論文を書いていますが、この「アメリカ型（American-Type）」というのは括弧つきなんですね。どうも当時はいくつかの呼称が乱立していたようで、「アメリカ型」のほかに「抽象印象主義」、「アクション・ペインティング」といった言葉もありました。結果的に抽象表現主義という言葉が定着したところはありますが、現実に個々の傾向性にも違いがあるわけです。印象派からしてそうですが、

34｜**モーリス・ルイス**
一九一二—六二。アメリカの画家。五〇年代後半から六〇年代にかけて展開した抽象絵画の動向「カラー・フィールド・ペインティング」を代表する画家。キャンバスの上にアクリル絵具を垂れ流し、染み込ませることで、画面と色彩を一体化させる「ステイニング」と呼ばれる独特の技法で制作を行なった。作品に《ガンマ・イプシロン》など。

35｜**フランク・ステラ**
一九三六年生まれ。アメリカの画家・彫刻家。戦後アメリカを代表する美術家のひとり。黒いエナメル塗料でストライプを描いた「ブラック・ペインティング」や、従来の矩形ではなく変形したキャンバスを用いた「シェイプド・キャンバス」のシリーズなどで、

美術史における名称の問題というのは皮肉なところがあって、もともと揶揄だったものがのちに定着するという歴史の偶然があったりもする。抽象表現主義とよばれる戦後アメリカの作家たちも、みなが必ずしも表現主義的ではない、というのはその通りですね。

塩津――現代において崇高というのは、非常にさまざまな問題に接続されうる問題なのだな、とあらためて思いました。たとえば政治の問題でいうと、ニューマンの《英雄的にして崇高なる人》というタイトルは一九五一年四月一一日に命名されたと言われています。なぜ日付まではっきりわかっているかというと、トルーマン大統領がマッカーサーを罷免したというニュースを聞いて決めたということがわかっているからなんですね。当時は朝鮮戦争が非常に緊迫した状態になっていて、マッカーサーは原爆の投下も辞さないと言っていました。そのマッカーサーを解任したというニュースからこのタイトルが決まったというのは、今日（二〇一七年の四月）の段階においても、崇高を考えるうえで非常に示唆的なのかなと思います。

ミニマリズムの先駆をなした。作品に《トムリンソン・コート・パーク（第2ヴァージョン）》など。

対談4

佐藤雄一×星野太

超越性、文体、メディウム

佐藤雄一｜さとう・ゆういち

1983年生まれ。詩人。

超越性のインストール

星野 今日の対談にあたって、『現代詩手帖』編集部が昨年（二〇一七年）刊行された三冊の哲学書を挙げてくれました。國分功一郎さんの『中動態の世界』（医学書院）、千葉雅也さんの『勉強の哲学』（文藝春秋）、そしてわたしの『崇高の修辞学』（月曜社）です。この三冊は、哲学の問題をほかならぬ言語への問いとしてとらえている点で共通していると思います。ある意味では素朴な前提ではあるけれども、三者とも「言語が思考や行為を規定する」という考えかたを強く共有している。今回、これを詩の問題と結びつけてもらえるのは個人的にもうれしいことです。

國分さんのアプローチは文法です。中動態という失われた文法を手がかりに、いわゆる「する」「される」の関係、能動と受動の関係というものがかならずしも本来的ではないことを明らかにしています。『中動態の世界』によれば、中動態のほうがむしろ先で、今日のように何かを「する」「される」というのは文法的にも後から出てきた、つまりわれわれの思考様式としても後から発生したものにすぎない。なおかつそれを「意志」や「責任」といった概念、さらには依存症などの現代的な問題につなげているところも見事です。

いっぽう千葉さんの本は、三人のなかではもっとも詩学に近いと感じます。ざっくり言うと、千葉さんの考える勉強の本質とは言語操作であって、そのアップデートによってこそ生成変化は可能になる。千葉さんの本の素晴らしいところは、この意味での「勉強」という言葉のなかに詩の勉強も含めていることですね。そうはっきりとは書いていないけれども、詩をひとつの言語操作として学べばある種の傾向と対策ができるし、それがハイレベルでできるならば、詩も書けるようになるのだというメッセージが暗に含まれている。その実例として、小笠原鳥類さんの詩などが引用されているわけですね。その意味で、三人の本のなかでは一番ポイエーシスに近いというか、ひとつの詩学＝制作論として読めるものだと思います。

わたしの本は、表むきは詩学ではないのですが、言語の問題を思弁的に考察したミシェル・ドゥギーの詩学や、ラクー＝ラバルト、ポール・ド・マンの議論などを扱っています。その根底にあるのは、言語一般のもつ修辞性への関心です。序文のなかでも書いたように、「われわれの用いる言葉のうち、およそ修辞的でない言葉など存在しない」。詩や文学など、いわゆる修辞的な言語使用が一方にあり、他方に文字どおりの言語使用、日常的な言語使用がある、といった二分法を立てず、むしろわれわれの用いる言葉には原理的に修辞性がつきまとっているのだ、ということを論じようとしました。
以上の三冊の本は、このように言語へのアプローチが文法／詩学／修辞学と分かれていて、そこがそれぞれの個性になっていると思うのですが、しかし他方、ここではいわゆる「超越」の問題が後景にしりぞいている気がしなくもない。そして詩においては、ある種の超越性、あるいは垂直性と言ってもいいのですが、そうした領域がほぼ例外なく確保されていると思うのです。藪から棒に質問すると、佐藤さんは詩における超越性をどうお考えですか。

佐藤　むずかしいご質問ですね。わたし自身は哲学には詳しくないのですが、詩作も言語に強く規定されていると思いますので、いま解説していただいた三冊と同じ前提は共有していると思います。だからというか、超越についてはあまり考えてこなかったです。考えていなかったことはお話ししづらいので、瀬尾育生[1]の見立てをきっかけにして考えを進めます。彼は、萩原朔太郎の「光の受胎」という文章とパウル・シュレーバー『ある神経病者の手記』に共通点を見いだします。超越的な光を身体に孕むという妄想が共通している、と。萩原朔太郎[2]は歴史上、定型詩ではない口語自由詩を本格的に始動させた人だとされています。その朔太郎がシュレーバー的な妄想にとらわれていたというのは重要ですね。さらに言えば、朔太郎とならんで口語自由詩の創始者のひとりである山村暮鳥[3]

1｜**瀬尾育生**
一九四八年生まれ。詩人・ドイツ文学者。東京大学在学中より同人活動に関わり、一九七六年に第一詩集『水銀灯群落』を刊行。表象や記憶を思考する散文詩などを発表するほか、近現代詩や戦争などを論じた批評の分野での著作も多数。その他の作品に『Deep purple』、『アンユナイテッド・ネイションズ』など。

2｜**萩原朔太郎**
一八八六―一九四二。詩人。北原白秋主宰の『朱欒』でデビュー。一九一七年に刊行された第一詩集『月に吠える』をはじめとして、近代人の病的な心性を表現する作品を多数残す。口語自由詩の確立に寄与するなど、以降の詩壇に大きな影響を与え、「日本近代詩の父」と称されるまでにはキリスト教伝道師で、「キリストに与へる詩」という詩も書いています。口語自由詩の初期プログラムには直接的で癖の強い超越への受発信が組み込まれていて、いまなおそれはアンインストールされていないと言えるかもしれません。

星野―短歌や俳句の場合、それらがあらかじめ強い有限性に規定されていることは重要かもしれません。すくなくともキリスト教が全面的に入ってくる以前の日本の定型詩には、超越性への志向はそれほど見られないような気がします。佐藤さんの見立てでは、近代詩において朔太郎や暮鳥に決定的なしかたで超越性がインストールされたということですね。そこは重要な問題だと思います。朔太郎における「光」のような、これ以上ない超越的なメタファーを用いる場合もあれば、反対に超越性をさほど露骨には表明しないケースもある。もちろん、あらゆる詩が超越的なモチーフに貫かれているわけではなくて、むしろ超越性を詩から抹消していくという戦法もありますよね。最近、藤本哲明さんの詩集『ディオニソスの居場所』を読みましたが、そこに収録されている「荷造り」という詩がそうだと思います。けれども、やはり大きな前提として、詩はある種の超越性を措定しなければ始まらないのではないか。果敢に超越性のほうへ向かっていくのか、あるいは反対に詩から超越性を排除していくのか、そういったことも含めて、超越という問題系は、詩のことを考えるときに個人的に外せないトピックなんです。

至る。その他の作品に、『青猫』、『虚妄の正義』など。

3｜**山村暮鳥**
一八八四―一九二四。詩人・伝道師。聖公会伝道師として各地を転任するかたわら、赴任地で詩誌を発行するなど詩人としても活動を行なう。一九一五年に発表された『聖三稜玻璃』は、その斬新な詩風によって詩壇の注目を集める。童謡・童話、小説なども手がける。その他の作品に『風は草木にささやいた』、『雲』など。

これまで発表されてきた佐藤さんの詩論、とくにヒップホップを参照しつつ書かれた現代詩論は、わたしの言いかただとテクネーの問題として詩をとらえています。リズムの問題にしても、それこそ「アルゴリズム」的な、あるいは技術論的な側面を強調されていますよね。そんな佐藤さんの立場からすれば、超越性はむしろ対極的なところに位置づけられるかもしれない。佐藤さんの議論に対置されるものがあるとすれば、それは実存的な、あるいは超越性を志向する詩学であるような気がします。

佐藤――おっしゃる通りですね。詩に超越的な理想があるというあり方に抗っていました。複数の人間で言語を創発的にやりとりすることでお互いが変身し、それによって徐々に詩が生成されていくことを目指していました。テクネー、つまり技術論としての詩を語りたかったんですね。しかしながら、同時に鳥居万由実『遠さについて』の超越性に惹かれた部分もありました。鳥居さんのテクストには非常に生臭い匂いのする超越のモティーフが頻出します。そのような過剰に身体的かつ超越的な作風には惹かれます。たぶん、それは没身体的な（というより男性バイアスのかかった）主体と超越との関係性とは区別されるからです。これは暮鳥や朔太郎を読むときも感じます。超越性を前提にしつつグレた詩と言えるでしょうか。藤本哲明さんや亡くなられた安川奈緒さんにもグレを感じますね。

4｜**出典**
『Kader0d』第一号、一三四―一六〇頁。

頂上に登ったら降りる

星野―以前、佐藤さんとの往復書簡[4]のなかで、安川さんが「『世界』という単語が自由に使いこなされているのを見ると虫唾が走る」と書かれていました。詩ではなく、当時公開されていたいくつかの映画に対する批判という文脈でしたが、この言葉はいまでも強く心に残っています。わたしも「世界」という言葉に対する抵抗感というのはよくわかる。むろん、通常のボキャブラリーとしての「世界」に問題があるわけではありません。だけど、詩や散文において「世界」という言葉はそう易々と使うべきではない。超越性について考えるとき、その安川さんの言葉をよく思い出します。

佐藤―安川さんはヒロイズムを拒絶する人でしたね。彼女にとって「世界」という言葉を多用する詩、たとえば吉本隆明のようなヒロイズムは敵だったと思います。それを腐す彼女の身ぶりが非常にヒロイックでもあったのですが。

星野―やや雑かもしれませんが、自分の関心に引きつけると、それもやはり超越性に関わる問題なんです。『崇高の修辞学』の第七章「放物線状の超越」はミシエル・ドゥギー論として書かれたものですが、これは自分なりに超越の問題にとり組んだものでもあります。言うまでもなく、内在と超越というのは哲学でも重要な問題であって、一九世紀ならばフッサール[5]やベルクソン[6]、二〇世紀ならばレヴィナス[7]やドゥルーズ[8]の名前がすぐに連想されるでしょう。わたしの理解では、ドゥギーの特異性は、詩人であり哲学者でもあるという独特な立場から、この内在と超越をめぐる問題にある種の突破口を探っているところにある。これは二〇〇〇年代に顕在化したと思いますが、ドゥギーは以前からこの問題に並々ならぬ関心を抱いていた。彼は二〇〇六年に出したアンソロジーに寄せた序文で、「放物線状の（parabolique）超越」という言い方をしています。この言葉はもともと「パラボール（parabole）」というフランス語から来ていて、この「パラボール」には「放物線」という意味と「寓話」という意味がある。ただ、ドゥギーはこれをあくまでも断片的なイメージとしてしか提示していないので、拙著では彼の詩をあわせて読んでいくことで、そこにいったい何が含意されているのかを論じました。ドゥギーのある詩のなかでは、この「放物線状の超越」のイメージとして「山」が与えられています。ある山の頂上がひとつの高みだとすると、単純な話、われわれはその頂上まで登ったら降りなければならない。これは神学的、形而上学的な超越とはまったく異なるものです。ある意味ではイカロスのごとく、飛翔のあとには墜落が待ち構えている。頂上まで登ったら降りる。そのような運動をくり返していくことが詩の役目であり約束であると、そのことをとて

5｜エドムント・フッサール
一八五九―一九三八。ドイツの哲学者。数学研究から出発、フランツ・ブレンターノの影響のもと哲学へ転向。「志向性」の概念などを基礎に意識体験の構造を分析する「現象学」を練りあげる。以降の多くの哲学者に絶大な影響を及ぼし、二〇世紀を代表する思想的潮流を形成した。著書に『純粋現象学と現象学的哲学のための諸構想』、『デカルト的省察』など。

6｜アンリ・ベルクソン
↓一〇一頁［対談1―註65］。

7｜エマニュエル・レヴィナス
一九〇六―一九五。リトアニア出身のフランスの哲学者。東方イスラエル師範学校長、パリ第八大学教授、パリ第四大学教授を歴任。フッサール

も詩的な言葉で語っているんですね。それは上方に突き抜けるような超越ではない。超越か内在かではなく、ある思考の運動として放物線を描くような高みをドゥギーは「崇高」とも呼ぶわけです。ドゥギーさんはいまや九〇歳に届くかというご高齢の詩人ですが、この「放物線状の超越」というモチーフは、彼の最近の本でもますます顕在化していきます。

佐藤―山の高さと神学的な高さとの差には注目したいですね。というのは、ドゥギーと宗教の関係は重要だと思うからです。ドゥギーの詩にはカトリックとしての描写が頻出します。『尽き果てることなきものへ』では亡き妻との聖スルピス教会での結婚式の描写がありますね。もちろん、彼は露骨に信仰を吐露するような詩は書きません。むしろ宗教全体に関して非常に屈折した書きかたをしているし、「アウシュヴィッツ以降」が強く意識されている。しかしどこかカトリックの信仰との緊張感を感じますね。

星野―キリスト教との緊張関係は当然あって、一九八一年の『与えあう』という詩集には、ヴァントゥー山という具体的な山への言及があります。ペトラルカが、かつてその山頂でアウグスティヌス[9]の『告白』を読んだ山です。ジャン＝リュック・ナンシー[10]もそうですが、自身の信仰としても、かつ西洋社会の人間としても、キリスト教的な超越はもちろん念頭にあるはずです。しかしドゥギー

の現象学やハイデガーの存在論を批判的に継承するとともに、ユダヤ思想の影響を受けながら、絶対的な「他者」との関係を軸に据えた独自の倫理学を展開した。著書に『全体性と無限』、『存在の彼方へ』など。

8｜ジル・ドゥルーズ
一九二五―九五。フランスの哲学者。スピノザ、ベルクソン、ニーチェなどの研究を通じ哲学史を継承しながらその批判者となる。ポスト構造主義の新地平を拓き、独創的な思想を展開。哲学のみならず、文学・芸術・映画などの領域にも多大な影響を及ぼし続けている。著書に『差異と反復』、『意味の論理学』など。フェリックス・ガタリとの共著に『アンチ・オイディプス』、『千のプラトー』など。

の言い方を借りれば、詩人としての彼はまさしくそこからの「脱出口（sortie）」を提示しようとしている。それは個人的なカトリックの信仰とは切り離された、彼の詩学として考えられると思います。

修辞と切実さ

佐藤――もちろん信仰と実作は区別されなければなりません。宮沢賢治[11]は国柱会だったけれども、国柱会の信徒が全員宮沢賢治のような実作者であったわけではない。それは言わずもがなですが、ただ日本の口語自由詩の実作を語るうえで避けて通れない超越があります。天皇ですね。さきほども申し上げた通り、わたしは超越を考えることが非常に苦手なので、瀬尾育生史観に頼って、なぜ口語自由詩が天皇に行きついたのかを短く復習します。暮鳥や朔太郎ら口語自由詩の始祖は近代詩と呼ばれることが多いですが、彼らは抒情性に重きを置いていました。しかし、のちのモダニズムの世代はそれを批判します。あくまで日本というネーションに執着する抒情の主体は、帝国主義と都市化が進行した一九二〇年代以降にはそぐわないと。二九年に「てふてふが一匹韃靼海峡を渡つていつた」と安西冬衛は書いていますが、「てふてふ」を哀惜しているだけでなく、「韃靼海峡」を

9｜**アウグスティヌス**
三五四―四三〇。ローマ帝国時代の神学者・哲学者。青年期はマニ教を信仰したが、のちに劇的な改心を経験。ストア派や新プラトン主義などのギリシア的潮流を批判的に摂取しながら、キリスト教の神学・哲学のひとつの典型を形成する。その影響は中世はもとより、近現代にまで及んでいる。著書に『告白』、『神の国』など。

渡ることを視野に入れなければならなかった。また、たとえば台湾の日本語モダニズム詩人が多く存在したように、郷愁とネーションへの帰属はかならずしも一致しない。したがって、世界同時性のあるテクノロジーやイデオロギー、都市文化への過剰同調と、それにともなう抒情の主体の排除が指向される、と。たとえば西脇順三郎[12]は、ブルトン[13]のシュルレアリスム宣言から五年後、「超現

10｜ジャン＝リュック・ナンシー
一九四〇―二〇二一。フランスの哲学者。ハイデガーやバタイユ、デリダらの影響を受けながら、哲学、文学、芸術、政治、宗教といった多岐にわたる領域に関する著作を多数発表。とりわけ、「分有」の概念を基礎に独創的な共同体論を論じた『無為の共同体』で知られる。その他の著書に『自由の経験』、『複数にして単数の存在』など。

11｜宮沢賢治
一八九六―一九三三。詩人・童話作家・農芸科学者。教師や農業指導者として活動するかたわら、東北地方の自然や生活を題材とした詩や童話を執筆。生前はほとんど作品を発表せず、作家としては無名であったが、没後の全集刊行などに伴い評価が高まり、国民的作家のひとりとなる。作品に「雨ニモマケズ」、「銀河鉄道の夜」など。

12｜西脇順三郎
一八九四―一九八二。詩人・英文学者。一九二二年にオックスフォード大学へ留学、帰国後より慶應義塾大学英文科の教授を務める。シュルレアリスムをはじめとするヨーロッパの前衛芸術の影響のもと、多彩な作品を発表。ノーベル文学賞候補に推挙されるなど、日本のみならず国際的な評価を得ている。主な作品に『Ambarvalia』、『旅人かへらず』など。

13｜アンドレ・ブルトン
一八九六―一九六六。フランスの詩人。シュルレアリスム運動の主導者。「ダダ」に参加したのち、一九二四年に『シュルレアリスム宣言』を発表し、シュルレアリスム運動を創始。無意識を表出させる創作理念・手法としての「自動記述」を唱え、絵画や映画、写真など多方面に大きな影響を与えた。その他の作品に『ナジャ』、『通底器』など。

実主義詩論」を記して「メカニスム」という語を多用します。モダニズムはテクニカルな言語操作に傾斜していきます。そしてその傾斜が先鋭化し、個々の主体性の欠如を完遂したところに、天皇という超越性が主体として召喚され戦争協力詩となるに至った、というのが瀬尾史観です。モダニズムが無節操ゆえに戦争協力したと論難するのは、戦争被害者だった「荒地」世代のクリシェですが、戦争協力詩こそモダニズムの完成形だった、とする瀬尾育生の論法は独特ですね。わたしは全肯定しませんが、オブジェクト指向詩などの潮流が出てきたいま、無視できない議論です。

星野―たしかに「荒地」の鮎川信夫や北村太郎[14]の詩には、どこか実存主義的な傾きがありますよね。いまの話を聞いて、そこに至る流れが少し見えてきました。朔太郎に代表されるウェットな近代詩を批判しつつ、西脇のようなモダニズムの詩人たちが現れた。しかし、彼らの多くが戦中に転向してしまったことを批判して、ふたたびエモーショナルな「荒地」派が出てくる、という流れでしょうか。

佐藤―エモーショナルかつルサンチマンが濃厚ですよね。星野さんは「荒地」世代の詩がお好きで、北村太郎についてのエセー[15]もお書きになられていました。けれど、「荒地」的感性と「修辞」は相性が悪い(笑)。それこそ「荒地」出身の吉本隆明[16]には一九七八年の「修辞的な現在」という有名な論考があります。「詩

14―**北村太郎**
一九二二―九二。詩人・翻訳家。戦前には『ル・バル』に参加、一九四七年に田村隆一、鮎川信夫らとともに『荒地』を創刊、中心メンバーとして活動する。以降、朝日新聞社で勤務しながら、独自の語法に貫かれた作品を発表。翻訳家としても、英米文学やミステリーの訳書を多数手がけている。主な作品に『犬の時代』、『港の人』など。

15―**出典**
星野太「中庸の人――北村太郎」、『文學界』二〇一七年五月号、二八二―二八三頁。

的な修辞」は「切実さ」から遠ざかっているという批判的な意味です。「切実さ」を担保にすると「修辞」が軽んじられるというよくあるパターンですね。もちろん星野さんの議論で言えば「修辞」的でない言葉はないし、とりわけ詩はそうだと思います。ちなみに星野さんは日本語の詩、とくに最近の詩の修辞をどのように受け止められていますか。

星野　二〇歳前後の頃、野村喜和夫[17]や天沢退二郎[18]の詩が好きでしたが、なんというかモダニズムほど言語操作的ではないにせよ、どういう言葉をどういう形式によって構築するか、というある種のテクネーを感じながら読めるものが

16｜**吉本隆明**
一九二四－二〇一二。思想家・詩人。文学者の戦争責任や転向を問い論壇に登場。六〇年代安保闘争では既存の左翼思想を批判し、新左翼の理論的支柱となる。以降も、文学・政治・宗教・サブカルチャーなど広範な領域で執筆活動を行ない、戦後日本の言論に強い影響を残す。著書に『言語にとって美とは何か』、『共同幻想論』など。

17｜**野村喜和夫**
一九五一年生まれ。詩人・批評家。現代詩の創作を中心に、翻訳、比較詩学、文芸評論などさまざまな分野にまたがって活動。その詩はフランスをはじめ、各国語に翻訳されている。朗読パフォーマンスやダンスなど異分野とのコラボレーションでも知られる。主な作品に『特性のない陽のもとに』、『ニューインスピレーション』など。

18｜**天沢退二郎**
一九三六年生まれ。詩人・フランス文学者・批評家。東京大学在学中に第一詩集『道道』を発表。一九六四年には同人誌『凶区』の創刊に加わり、六〇年代を代表する詩人のひとりとなる。宮沢賢治の研究者としても活躍するほか、児童文学作家としても知られる。主な作品に『地獄にて』、『宮沢賢治の彼方へ』など。

好きでした。それがゼロ年代に入ると、岸田将幸、中尾太一をはじめエモーショナルな詩がぐっと増えてきたように感じる。安川奈緒や佐藤さんは少し違うポジションにも見えましたが、それが同世代のわたしが見ていたゼロ年代の現代詩の光景です。

佐藤—ゼロ年代は確かに独特の熱気がありましたね。例に出された岸田将幸も、中尾太一もやはり「切実さ」の詩人に見られがちですよね。ただ、それこそ『崇高の修辞学』の文脈で言えば、テクネーとエモーションは切り離して簡単に対立できるものではないですよね。たとえば岸田将幸にはモダニズム詩のテクネーが見いだせる。岸田さんにかぎらず、ゼロ年代前半の実作者にとって二〇〇三年に出版された鶴岡善久編の『モダニズム詩集I』の影響は強いものでした。ただゼロ年代後半はおっしゃるようにエモーショナルでしたね。というよりカルト的だったと思います。稲川方人[19]『聖－歌章』などは、名前の通り聖書のように読め、と強いてくるテクストでした。個人的にも距離をとってテクネーを子細に追うというのはむずかしかったですね。

星野—でも『聖－歌章』は超越的なモチーフが全面化しているようで、逆説的に超越性が抹梢されているような気がしなくもない。あるいはその時代でいうと、守中高明[20]さんの『シスター・アンティゴネーの暦のない墓』にもかなり影響

19—**稲川方人**
一九四九年生まれ。詩人・映画監督・映画評論家。一九七四年に河野道代らとともに書紀書林を設立し、詩誌『書紀』などを刊行。以降、抽象的な叙情詩を多数発表。『カイエ・デュ・シネマ・ジャポン』の編集に携わるなど、映画に関する活動も多くし、自身でも映画製作を行なう。その他の作品に『聖－歌章』など。

20—**守中高明**
一九六〇年生まれ。詩人・フランス現代思想、仏教思想研究者。九〇年代より詩人として数々の詩集を発表。フランス現代思想の研究・翻訳書や、仏教における「他力」を論じた著作など、さまざまな領域におよぶ執筆活動を行なう。著書に『存在と灰』、『浄土の哲学』など。

を受けました。もともと守中さんを知ったのはドゥルーズの翻訳を通じてでしたが、岩波書店から出ていた『脱構築』もおもしろかったし、『現代詩手帖』にもよく書かれていたので、いろいろな意味で刺激を受けていました。いちど講演を聞きに行ったこともあります。守中さんの話しぶりも一種独特でしたが、稲川さんと同じく、そこまで素朴にカルト的なものではないと思っていました。

すべてに修辞がつきまとっている

佐藤─わたしも守中さんの『反＝詩的文法』を読んだとき、その文体の美しさは印象的でした。『反＝詩的文法』をガイドに現代詩を読みはじめましたが、目的地にたどりついても、やはり読み返して、さらには書写してしまうという種類のガイドでした。そもそも文章を書きはじめたのも、たとえば「松浦寿輝のような文体で書きたい」というところにあったと思います。言葉そのものの官能性で酔いたいと。松補寿輝の現代詩文庫を筆写して一日が終わっていたということがありました。

星野─わたしも似たようなものです。もともと文章を書くことにさほど興味はなかったのですが、大学に入って間もないころ、松浦さんの『口唇論』を読んでびつくりした。そこに書かれていることはどうでもいいというか、この文章をただひたすら読んでいたいという気持ちにさせられた。わたしも当時はよく抜き書きをしていたので、松浦さんの文体のくせはかなり学習したし、ある種のスタイルから入るということは原体験としても大いに共感するところがあります。そしていまに至るまで、最後はそれしかないだろうという気持ちでやっている。もちろんそこに何が書いてあるかも重要なのですが、ほんとうに読みたいのは、インフォーマティヴなものではなく、何が書いてあってもいいからこの人の文章をただひたすら読んでいたい、と思えるようなものです。なので、自分の本でも書いた「すべてに修辞がつきまとっている」という感覚は、かなり具体的な実感にもとづいたものでもあるのです。松浦さんも北村太郎論[21]のなかで書いていましたが、重要なのは言いかたである、と。北村太郎が鮎川信夫についてこう書いた。いわく、「彼は「ボーリング場へ行こうよ」といういい方は絶対にしない。「ボーリングでもするかい?」という。[……]「相手の心に負担をかけたくないというだけではない、もっと深い優しさみたいなものが、このいい方に表れている」」。修辞性とは、ようするにこの「いい方」のことですね。そのような日常において、あるいはテクストを読むという行為において、われわれは日々そうした価値判断を下している。詩はその最たるもので、やはりある種のスタイルが大事になって

21―出典
松浦寿輝「ボーリングとゴルフ 北村太郎」、『物質と記憶』思潮社、二〇〇一年、一八五―一九六頁。

22―多和田葉子
一九六〇年生まれ。小説家・詩人。一九八七年、ドイツで作家としてデビュー。以降ドイツを拠点に、日独二ヵ国語で創作活動を行なう。芥川賞、クライスト賞、全米図書賞翻訳文学部門など、多数受賞。著作は世界各国語に訳されており、国際的な評価を得ている。主な作品に『犬婿入り』、『献灯使』など。

くると思います。
わたしが松浦、守中、野村、天沢といった詩人——たまたま仏文系の人が多いですが——を好んで読んでいた理由は、ある意味でそれが詩っぽくないからかもしれない。詩に対してもつイメージ、極端にいえば韻文、あるいは短い字数での行分けといった、あるていど形式にのっとった詩のイメージがあるとすれば、彼らの詩はかならずしもそういう見かけをしていない。どこか散文にも接続しうるスタイルだから魅かれるのだと思います。

佐藤――くしくも全員批評も書く詩人です。ボードレールは、詩人は批評家たるべき、と言いましたが、それを引き継いでいる仏文系詩人と言えますかね。

星野――たしかに詩も書き、散文も書く方々です。では詩と散文のふたつをいったい何が分けるのかという、素朴な問いも出てくる。多和田葉子[22]も好きな作家ですが、多和田さんが二〇〇〇年代に詩を書き始めましたよね。それこそ『現代詩手帖』に詩が載ることもありますが、しかし自分としては、多和田さんは詩よりも散文のほうに詩を感じるんです。ドイツ語と日本語の間で培われたものを、詩よりも散文に落としこんだほうが詩的に感じられてしまう。これは象徴的なことで、つまりふつうなら批評や研究はかちっとした文体やフォーマットのもの、詩は詩らしいものとなりそうだけど、散文が詩的だったり、詩が散文的であったりする。ジャンル間で変な混淆が起こっているもののほうが個人的には好きなのだと思います。

佐藤―まさにドゥギーがそういう人ですよね。くせの強い文章で、星野さんも「ドゥギーの詩、散文、あるいは評論を形式的な理由によってのみ区別することは、実のところ困難を極める」と書かれています。哲学書のほうが詩的だったり、詩は逆に理屈っぽかったりする。

星野―ドゥギーの詩にはところどころ註がついています（笑）。出版社によって便宜的にこれは詩、これは散文という分け方もあるのかもしれないけど、ドゥギーさん本人はたぶん厳密に分けていない。改行が多いからこれは詩かな、改行があまりないからこれは哲学書かな、という程度でしょうか。内容からいくと、ほとんど識別できない。

佐藤―そもそも分けられない、と。アレクサンドラン（一二音節詩）や五七などの、定型ではない自由詩のもつ宿命ですよね。定型のかっちりとした作詩法から離れてしまうと、なぜそれが詩であるかを自己証明できなければならなくなる。したがって詩であるために批評を書かなくてはならず、批評を書くために詩を書かなくてはならない、そのふたつに切れ目がないわけです。あるいはいまのディシプリンのしっかりした美術研究の文脈で、たとえばボードレールの美術批評を読むと、詩のような印象ですしね。

思想系の文体の現在

星野――わたしの関心に即して言うと、日本でもフランスでも、ある時期までは詩的な要素を学術的な領域、とくに哲学・思想において展開する傾向が盛んでした。アカデミズムでもスタイルが重要だと言われ、文体や形式、修辞性への配慮が大いに見られたわけです。ただ、自分自身はどこかでそれに抗いたい気持ちもある。『崇高の修辞学』は、内容としては修辞性をさかんに論じていますが、記述そのものは修辞性をかなり抑制しています。理由のひとつは明晰に書きたいからです。しかしさらに言うと、その抑制された文体を、文体の零度というか、むしろ零度ではなく三度くらいにコントロールしたかった。わたしの文章にも、特徴的な言い回しがあったり、漢字やかなの開きかたがスタンダードとは少し違ったり、弁別的な文体は確実にありますが、同時にそれをいかに隠すかという問題意識がある。本で書いたことをパフォーマティヴに実践するならば、テクネーは隠されなければならない。つまり弁別的でない、シーニュのないものが逆説的に醸し出す、松浦寿輝のいうところのエロティシズムを自分なりに試してみたわけです。それをほかのところでは「書類のエロス」と言ってみたりもしたのですが、さきほどふれた松浦、守中の、さらにさかのぼれば、宮川淳[23]のような文体を念頭におきながら、それとはちょっと違うことをやろうとしたんです。
時代的、世代的なこともあります。僭越ながら比較すると、國分さんもおそらくそうした問題意識をおもちだし、千葉さんにしても、『勉強の哲学』ではWorkFlowyをはじめとする執筆ツールの使用がひとつの核をなしています。千葉さんは詩への関心も強いので、文体の問題も当然お考えだとは思いますが、それをあえて抑制していく。精神分析がご専門の松本卓也さんも旧世代とは違った明晰判明な文体で書いている。学術研究、とりわけ思想・哲学の領域で、詩的な想像力を駆使してきた後の世代にいるわれわれのあいだには、どこかそういった傾向を感じます。もちろん佐々木中、栗原康のように独自の文体で突き抜けていく人たちもいますが、基本的にプレーンな文体が主流になりつつあると思います。

佐藤―わかります。実作の世界ですら、プレーンな文章を書けという圧を感じますからね。

星野―松浦さんはかつて『クロニクル』所収の阿部良雄論[24]のなかで、いまの学者はかつての阿部良雄のような弁別可能な文体をもっていない、と批判的に書かれていました。そのとき松浦さんが想定していたのはわれわれよりも上の世代

23―**宮川淳**
一九三三―七七。美術批評家。一九六三年の「アンフォルメル以後」を皮切りに、美術批評家として活動を開始。構造主義・ポスト構造主義の思想への知見と独創的な文体から、近現代美術の分野を中心に著作を発表。著述活動は一〇年ほどだが、その影響は大きく、戦後日本を代表する批評家に数えられる。著書に『鏡・空間・イマージュ』、『引用の織物』など。

24―**出典**
松浦寿輝「阿部良雄あるいは情熱と責任」、『クロニクル』東京大学出版会、二〇〇七年、一六六―一七五頁。

だと思うのですが、もちろんワープロで書くようになって、誰もがお手軽にネット上で情報を収集し、そのためにある種の文体が失われているという傾向はいまでもある。けれども、そのような状況を自覚したうえで、プレーンな文体をベースにうまく味つけをしていく書き手はけっして減っていないと思うのです。そういう循環のなかに、思想系の文体の現在があるのかなと感じますが。

佐藤―プレーンな文体を極めると、霞が関文学ですよね。「てにをは」レベルで通達や省令の意味が変わるので、個性は出せません。各省に代々伝わる指導を徹底的に受けた無個性そのものの匿名的文章ですが、しかしそれでもどうしても言葉だからエロスがにじみ出てくる。「書類のエロス」と聞いたとき、霞が関文学をまず想起しましたが、思想系の文体も霞が関文学化しているのかもしれませんね。

星野―たしかに、さきほどの「書類のエロス」の問題は、どこかで霞が関文学につながるのかもしれない。それこそ法律の条文みたいなものに擬態するケースとか、形式的、官僚的な硬い文章をぽんと挿入するとか、そういう言語操作をしている人はいま現代詩にいるでしょうか。霞が関で日々生産されているエクリチュールは、詩についてのわれわれの予断から外れるたぐいのものですから、もし『現代詩手帖』などでそういう作品が出てきたら、けっこう目を引くかもしれない。

佐藤―詩を書類に、書類を詩に逆転させるというのはおもしろいですよね。ただ、そのような逆転が起きているのは、幸か不幸か『現代詩手帖』ではなく、たとえばドナルド・トランプの大統領令なんですね。彼のパトスにうったえかけるハッタリはまさに古代ギリシア時代の意味で崇高ですね。いまでは彼がもっとも詩的かもしれない。

星野――その通りだと思います。トランプはそう馬鹿にできない。ある意味では、トランプこそが現代における最強のレトリシャンであるとも言えてしまう。トランプのツイートはかなり形式性が高くて、ジョージ・レイコフをはじめ、複数の言語学者がそのことを指摘しています。よくあるパターンとしては、独断的な断定、その敷衍、そして最後にひと言「Bad!」のような言葉で締めくくる。あのツイートには崇高のエッセンスが技術的につまっているんです。予備選でトランプに負けたテッド・クルーズという共和党の政治家がいて、全米のディベート大会で優勝したこともある雄弁家ですが、しかしそれにもトランプは勝ってしまう。崇高の修辞学の悪しき帰結を、トランプがベタに体現してしまっているわけですね。もちろんわたしの本は超越的な崇高さを素朴には擁護していないので、その意味でトランプ批判にはなっているはずですが、ベタな意味でロンギノスの崇高論をやろうとすると、トランプが最適だということになってしまう。だからこの本は第I部で終わってはいけなかった。そもそも「崇高」は、ボワローの翻訳などによってさまざまな変容をこうむりながら、近代において成立した美学という領域に流れ込んだきわめてプロブレマティックな概念です。しかし二〇世紀にドゥギー、ラクー＝ラバルト、ド・マンらが脱構築的に、それこそ超越性に回収されないものとしての「崇高」をそれぞれ論じた。最近、いわゆる否定神学問題がにわかに再燃しているようですが、それに引き寄せて言えば、この本の第Ⅲ部では、否定神学システムに回収されない「崇高」の三つの可能性をそれぞれ示そうとしたわけです。

斜めへと開いていく

佐藤──くり返しになりますが、伝え方が大事だということですね。言いかえればメディウムの問題です。これは余談めいてしまいますが、二〇一〇年にドゥギーが来日したとき、星野さんに通訳してもらって質問したのが「詩のメディウムとは何か」ということでした。ドゥギーはそのとき「言葉だ」と即答しました。でも素直にうなずけなかったですね。たとえば絵画にはメディウムというものがある。油とか布とか、キャプションにはかならず書いてあります。しかし詩はそういうものが明示できるのかと、そのとき星野さんに通訳してもらいました。すると「アンリ・メショニック」[25]という名前が彼から出てきました。それ以外は聞き取れなかった（笑）。それで会話は中断されたのですが、そのときのアンリ・メショニックのことは鮮烈に頭に残って、アマゾン・フランスで『リズム批判』を注文しました。なぜか雨で紙がぶよぶよになって届いて、これがメディウムかと（笑）。リズムの語源であるリュトモスが「形を生成するまでの過程」というような意味だった、ということに重点をおいた本ですが、詩のメディウムを考えるさいには救命道具のように大事な本になりました。ぶよぶよですが。

星野―わたしがメディウムを考えるときにいつも参照項としているのが、岡﨑乾二郎[26]と松浦寿夫[27]の『絵画の準備を！』[28]という対談本です。あそこで岡﨑さんが言っている「抵抗としてのメディウム」こそが、わたしの考える最良のイメージです。ようするに、中間物としてのメディウムですね。絵画であれば、メディウムとしてのカンヴァスや絵の具が絵画を可能にしており、同時にそこに抵抗を加えてもいる。絵画であれ彫刻であれ、イデアルなものを物質化するさいに働きかけてくる物質的な抵抗がかならずある。詩においても、そのように作品を作品として成り立たしめる抵抗のモメントがどこにあるのか、そこがまず考えられると思います。

ただ素朴な結論ですが、言語芸術におけるメディウムは、やはりラングとして

25―**アンリ・メショニック**
一九三二―二〇〇九。フランスの詩人・言語学者・翻訳家。一九六〇年代以降、詩人としての創作活動のほか、リズム論をはじめとする詩学の理論的な研究や翻訳論、ヘブライ語聖書のフランス語翻訳など、理論と実践の双方にまたがって多数の著作を発表。パリ第八大学で教鞭も執った。著書に『詩学批判』など。

の言語かなと思います。わかりやすく単一言語使用に限定して言うと、その言語を用いてきた人たちの歴史や文化がすべて堆積しているものとしての言語、それがもっている抵抗、それこそが詩のメディウムなのではないか。われわれがふだん口にしている言葉が、詩や文学として紙の上に定着されると、それはつねに既存の言語との緊張関係におかれることになる。それは従来の言語使用に回収される側面もありつつ、とくに詩のような言語芸術の場合、明らかにそれに変更を迫るようなモメントも兼ねそなえている。かりに言語というものにひとつの全体性を想定するとすれば、それとひとつひとつの詩のあいだには、必ずや何らかの緊

26｜**岡﨑乾二郎**
一九五五年生まれ。美術家・批評家。絵画・彫刻・建築・レリーフなど、多様な領域で作品を展開。一九八二年のパリ・ビエンナーレ以降、数多くの国際展に出品。制作と並行して批評家として執筆・編集活動を行なうほか、「四谷アートステュディウム」のディレクターを務めるなど、芸術教育の分野でも知られる。作品に《あかさかみつけ》、著書に『ルネサンス　経験の条件』など。

27｜**松浦寿夫**
一九五四年生まれ。画家・美術批評家。一九八三年に『美術手帖』誌の第九回芸術評論賞公募で第一席に入選、以降、近現代の絵画の歴史や理論の研究を行なう。画家としても制作活動を続け、多数の個展を開催。美術批評誌『ART TRACE PRESS』の共同編集も行なう。共著に『モデルニテ3×3』、『絵画の準備を！』など。

28｜**『絵画の準備を！』（二〇〇五）**
松浦寿夫＋岡﨑乾二郎『絵画の準備を！』朝日出版社、二〇〇五年。

張関係があるわけです。

佐藤―星野さんご自身、何らかのメディウムを使って表現する願望はありますか。

星野―昔から音楽や写真をやっていて、いまは芸術系の大学で教えているので、そうした分野ではわりと恥ずかしげもなく作品を公表できるのですが、むずかしいのが言語表現です。詩はその最たるものだと思います。小林康夫[29]さんは『モデルニテ3×3』[30]のなかで、「詩という出来事は必ずしも作品という形をとらないと思います」と言っていました。つまり自分は詩を書かないけど、ある種のしかたで詩を実践しているのだ、と。小林さんは現在までそれを貫かれていて、それはそれで納得できる迫力がある。わたしはそのようなエクスキューズはとてもできなくて、詩にも心惹かれるところはあるのですが、なかなかむずかしい。かつて『現代詩手帖』に投稿しようかと考えたこともありましたが、そのときは全然書けなかったんです。千葉さんの『勉強の哲学』のように勉強したら書けるのかもしれませんが(笑)、もう実存的な動機からは書けそうにない。ただ、はじめの超越性の話につなげると、やはり何か超越的なものとの関係が担保されないと、人は詩を書き続けることができないような気がする。そうでないなら、ある種の詩壇というか、競いあいのような関係が必要になってくると思うのです。実際はどうなのでしょうか。

29―小林康夫
一九五〇年生まれ。哲学者。専門は表象文化論・現代思想・フランス文学。表象文化論的な視座から、哲学・文学・美術・音楽など、領域を横断した著作を多数発表。「東京大学　共生のための国際哲学研究センター」のセンター長を一〇年以上務め、さまざまな共同研究を行なう。著書に『不可能なものへの権利』、『絵画の冒険』など。

30―『モデルニテ3×3』(一九九八)
小林康夫+松浦寿輝+松浦寿夫『モデルニテ3×3』思潮社、一九九八年。

31―出典
信田さよ子+松本卓也「[討議]斜めに横断する臨床=思想」、『現代思想』二〇一八年

佐藤——書きはじめはまさに千葉さんがおっしゃるような意味で勉強でしたね。『現代詩手帖』の投稿欄に投稿するのは『大学への数学』に投稿するのと同じでした。かつて吉本隆明が「受験生詩人」（鮎川信夫との対談「戦後詩の危機」）という言葉で荒川洋治、平出隆を揶揄していましたが、まさに自分が「受験生詩人」だったと思います。ただ、では「受験生詩人」でない詩人がこの世にいるのかと思いますね。いま・ここにはいない顔の見えない誰かと緊張感をもって通信し、何かが返ってくるかもしれない、という感触は「受験」に一番近い気がします。いまでも、たとえば最果タヒがこんなにいい詩を書いているのが悔しいという嫉妬が動機になったりします。超越的ではない動機です。

星野——このあいだの『現代思想』の信田さよ子さん、松本卓也さんの対談[31]を読むと、精神医療の現場も似たような道をたどっているという印象です。フロイト－ラカン的な「垂直方向」の精神分析、その典型は「原父」との関係をどうするかということですが、臨床においても同様に、分析家と患者との関係がそれに相当していた。これに対して最近のオープンダイアローグなどは、ある意味では水平的なものと言っていい。松本さんは『ａｔプラス』の論文[32]でも、近年の精神医療の方向性を「垂直から水平へ」という言葉でまとめられていました。しかしそれをさらに、垂直でも水平でもない、斜めに展開する精神医療へと開こう

一月号、六七－八六頁。

32｜**出典**
松本卓也「水平方向の精神病理学に向けて」、『ａｔプラス』第三〇号、太田出版、二〇一六年、三二－五一頁。

としている。昨年『表象』に掲載された座談会〔33〕では、ラカンのジョイス論における「脚立」というモチーフに注目されていました。脚立的超越性——これはまさに、ドゥギーと同じ「登ったら降りる」ですね。フェリックス・ガタリ〔34〕の「transversalité」が、最近邦訳されたジャン・ウリの本〔35〕では「横断性」ではなく「斜め横断性」と訳されていることなどにも注目し、垂直に還元されない、しかし水平のベタっとした関係にも回収されないような、斜めの横断性のようなことを考えられている。佐藤さんの話はそのことを思い出させてくれて、わたしもそれには同意なんです。自分が意識する相手は、かならずしもよく知る人間であるとはかぎらない。文字列でしか知りえない、ベタっとしていない関係からもたらされるものがある。超越的な規範でも水平な馴れ合いでもなく、それでも一定の緊張感がある、そういう関係性はすごく大切なものだと思います。くしくも『モデルニテ3×3』のあとがきで、小林さんが三者の関係を「仲間づきあいに陥らないような友情、ある種の知的な共同体の友情」であると書いています。けっしてウェットにならない、爽やかな関係だということですね。そういえば同じあとがきで、松浦寿輝さんは、自分は「あらゆる意味で超越性の契機を欠いている人間」であると書いていますね（笑）。

佐藤　斜めの友情関係ですね。『日曜日の散歩者』〔36〕という台湾のモダニズム

33｜**出典**
千葉雅也＋松本卓也＋小泉義之＋柵瀬宏平［［共同討議］精神分析的人間の後で——脚立的超越性とイディオたちの革命］、『表象』第一一号、月曜社、二〇一七年、一四—五三頁。

34｜**フェリックス・ガタリ**
一九三〇—九二。フランスの哲学者・精神分析家。ラ・ボルド病院において精神分析家として勤めるかたわら、哲学的著作の執筆、エコロジーや精神医療改革といった運動への関与など、多方面に活動を展開。『アンチ・オイディプス』などのジル・ドゥルーズとの共著でも知られる。その他の著書に『分子革命』、『カオスモーズ』など。

詩人の映画があるのですが、そのなかで林永修（林修二）が西脇順三郎と山登りする写真が使われていました。彼らは師弟関係にあったわけですが、山の上でも妙に洒落た服を着ている西脇と林の写真は登山サークルの先輩、後輩という印象でした。そこからの連想ですが、垂直でも水平でもない「脚立的超越」は、山で集合する山登りサークルみたいなものではないでしょうか。ふだんは遠くに住んでいて、何年かに一回、山でだけ会う友人。山にいるときしか喋らないし、でも山にいるときはうまく喋れない。黙々と登山し、頂上にもあまり長居せず、黙々と下山する。

星野―なんだか美しいたとえですね。たまに会う親友みたいなものかな。わたしはいわゆる詩の業界にはいないので、その例で言うと、ふだんハイキングサークルのようなところに所属しているということですね。サークルは違うけど、「あの山登りサークル、最近がんばってるな」という感じでたまに交流会に行く。佐藤さんともそういう距離感だからこそいいのかなと思います。

35―**出典**
ジャン・ウリ『コレクティフ――サン・タンヌ病院におけるセミネール』多賀茂＋上尾真道＋川村文重＋武田宙也訳、月曜社、二〇一七年。

36―**『日曜日の散歩者　わすれられた台湾詩人たち』**
二〇一七年公開の台湾のドキュメンタリー映画。監督は黄亞歷。一九三〇年代、日本統治下の台湾において結成された詩人団体「風車詩社」を題材に、西洋モダニズムの影響を受けながら、日本語によって新たな台湾文学を創出しようと試みた詩人たちの軌跡を、資料映像とともに描く。第一〇回台北国際ドキュメンタリー映画祭台湾コンペティション部門グランプリ受賞。

対談5

松浦寿輝×星野太

酷薄な系譜としての「修辞学的崇高」

松浦寿輝｜まつうら・ひさき

1954年生まれ。作家、詩人、批評家、仏文学者。東京大学名誉教授。1988年、詩集『冬の本』で高見順賞、1995年、評論『エッフェル塔試論』で吉田秀和賞、96年、評論『折口信夫論』で三島由紀夫賞、2000年、『花腐し』で芥川賞、04年、『半島』で読売文学賞、17年、『名誉と恍惚』で谷崎潤一郎賞受賞。他に『吃水都市』(詩集)、『平面論——一八八〇年西欧』(評論)、『わたしが行ったさびしい町』(エッセイ)、『もののたはむれ』『川の光』『月岡草飛の謎』(小説)など著書多数。

大胆な野心と周到な手続き

松浦——一冊の本の内容というのは、一種必然的な絆で、物質的なデザインと緊密に結びついているものです。好著の場合にはとりわけ、その視覚的かつ触覚的な佇まいが、すぐれた中身を的確に表現していることが多い。木村稔将さんの装幀による星野さんのこの本も、非常に美しい。白を基調とした簡素で鮮烈な外観はもちろんのこと、本文レイアウトも、余白と文字面のバランスが見事です。本文も註も、これ以外に考えられないという決定的なフォントで組まれている。こういうのはネット空間に溢れている言説には無縁の話ですが、わたしは『崇高の修辞学』と出会って、ひさしぶりに書物というものの物理的実在感にうたれるという体験をさせてもらいました。

それを言ったうえで少しずつ内容に入っていくと、わたしも大学を辞めてかなりの歳月が経つのに、性懲りもなくやや教師的な物言いになってしまいますが、人文科学系の博士論文として理想的なものと言ってよい達成だと思いました。紀元一世紀に書かれたと推定されるロンギノスの『崇高論』以来、二〇〇〇年にわたる広いタイムスパンのなかで、ひとつの概念がどういう運命をたどったのかを、徹底的に追いつめていく。周到にして明晰な記述によって織りなされていくその思考の運動は、大変スリリングで刺激的です。そのスリルも刺激も、着実きわまりない文献学的手続きに支えられている。「崇高」の概念というキーワードをまず中心に据え、それに直接関連する文献群のコーパスを確定し、さらにその周辺に広がる数多の二次文献を広く深く博捜して、そこから骨太の論述のヴェクトルを取り出しておられる。また、すぐれた学問論文がどれもそうであるように、これはアカデミックな専門性の閉域に閉じこもる思考ではなく、広く一般読書人の関心に訴える要素ももっている。そういう意味で、日本の出版界に一石を投じる意義深い仕事だと思いました。「ひとつの概念の運命をたどる」といいましたが、その二〇〇〇年の歳月をまんべんなくたどり返していくのではなく、三つの結節点にフォーカスされているわけですね。『崇高論』が書かれた紀元一世紀、一八世紀、それから二〇世紀後半と、三つのポイントに絞ることによって、「崇高」概念のドラマチックな運命を浮かび上がらせている。この構想も素晴らしいと思いました。

おそらく星野さんの出発点となったのは、二〇世紀後半、もう少し絞ると、一九八〇年代に起こった「崇高ブーム」だったのではないか。リオタールをはじめミシェル・ドゥギー、ラクー＝ラバルト、ポール・ド・マンなどが崇高について旺盛に語り、この概念の現代的意義をめぐる問いなおしが活性化した。そのあたりの言説にまず興味を持たれて、そこで論じられていた一八世紀のカントやバークあるいはヘーゲル[1]にさかのぼり、最終的に、西洋思想の源泉に近い紀元一世紀のロンギノスのテクストへと至りついた。そういう流れだったのではないか。それをしかし、この本ではクロノロジックな順序にしたがって整序しなおしてみせたわけでしょう。ヴィヴィッドで生々しい、鋭利で現代的な問題意識を、二〇〇〇年にわたる西洋思想史の内部に位置づけなおすという作業がこうして可能になった。そのような大胆な野心と周到な手続きの共存が、わたしのような門外漢にも大きな知的刺激を与えてくれる所以だと思います。本文に即してうかがっていきたいのですが、まずは崇高という問題を設定された動機、また、そこからどういう経緯をたどって一冊の書物に結実したのか。このあたりからお話しいただければと思います。

星野―さかのぼってみると、崇高というテーマには学部のころから関心をもっていました。卒論はベルクソンについて書いたのですが、いまから考えると、これも現在の崇高というテーマとどこかつながっているように思います。ベルクソンの哲学は、絶対的な内在、外部なきホーリズムというイメージとともに語られることが多いですよね。そこで、あえてベルクソンにとっての「外部」の問題を問うとすればどういうかたちになるのかということを、卒論では問題としました。

1―**ゲオルク・ヴィルヘルム・フリードリヒ・ヘーゲル**
一七七〇―一八三一。ドイツを代表する哲学者のひとり。主観と客観を対立させるカント的な二元論を批判、ドイツ観念論の思潮の中で、論理学、自然哲学、精神哲学からなる体系的な思想を形成した。後世に対するその影響は絶大で、近現代思想の全域に及んでいる。著書に『精神現象学』、『論理学』など。

これを崇高論に引きつけると、カントの「崇高」概念における超越的なものが、それに相当するものだと言えます。カントにおいては、理性という感性の外部にあるものを梃子として、崇高をめぐる基本的な議論がつくり上げられている。そしてこのカントの崇高論が、一九八〇年代後半から九〇年代にかけて、否定神学や表象不可能性といった議論に結びつくようになります。カントを土台としつつ、二〇世紀後半の崇高論は否定弁証法的なモデルを通して練りあげられていった。それがもっとも顕著なしかたで表れたのが、わたしが修論で扱ったリオタールの崇高論です。それはまさしくカント的な、感性的には到達不可能な理念を否定的に表出するという「表出（表象）不可能性」に基づくものでした。このモデルは、当時の崇高論におけるひとつの範例をなしていたように思います。デリダやリオタール、あるいはこの本では扱わなかったジャン゠リュック・ナンシーも含めて、そこではカントの崇高論をモデルとする否定神学的「崇高」と、そこからの脱出がさまざまなしかたで模索されていた。しかし他方で、そうした議論は二〇世紀中にひと通り出尽くしただろう、とも考えていました。そのため修士論文では、リオタールの崇高論のなかでも、どちらかというと見過ごされてきたモチーフを取り上げたんですね。それは、ひとつには資本主義と崇高の関係であり、さらにはリオタールにおけるバークの崇高論からの影響でした。修士課程ではそのような問題に関心をもっていたのですが、それから博士課程に進学してすぐのころは、同じような崇高論の研究を続けるかどうかはまだはっきりと決めていませんでした。ただ、博士にあがってすぐにフランスに留学して、あちらでいろいろと修辞学の本を読んでいたんですね。たとえば、崇高論の第一人者であるバルディーヌ・サン・ジロン[2]という人がいるのですが、彼女が書いた崇高についての本を何冊か読んでみると、ロンギノスからボワローまでの記述にかなりのボリュームが割かれている。日本語で書かれた崇高論の解説はカントから始まることが圧倒的に多くて、ロンギノスからボワローへという修辞学の系譜は、せいぜい軽く言及されるにとどまっています。しかし当然のことながら、フランスやイタリアでは、古代から初期近代までの修辞学における崇高概念の系譜は、それなりに重要なものとしてとらえられている。留学中にそのあたりのことをひと通り調査して、まずはロンギノスをしっかり読んでみようと思ったのが、最初の出発点です。ただ、ロンギノスのモノグラフを書くことは、当時からあまり考えていませんでした。いわゆる文献学的な調査研究に終始するよりは、現代的なパースペクティヴから見た『崇高論』について考えてみたかったわけです。その意味で、松浦さんが指摘してくださった通り、本書の出発点は二〇世紀を対象とした第Ⅲ部にあります。そこから、近代の問題をあらためてたどりなおす。具体的には、バークやカント

2｜バルディーヌ・サン・ジロン
一九四五年生まれ。フランスの哲学者。専門は一八世紀哲学、美学。『光あれ――崇高の哲学』（一九九三年）をはじめとして、「崇高」を主題とした著作を多数発表しており、この分野の第一人者として知られる。フランス大学学士院の会員でもある。その他の著書に『古代から現代までの崇高』など。

の崇高にも修辞学的な問題系が残存していることを明らかにしようとしたのが、近代を対象とした第II部にあたる部分です。

脱構築的な実践

松浦—そこが本当におもしろいと思いました。カントやバークの崇高論のうち言語の問題にフォーカスしながら語っていらっしゃる。とくにカントの場合、もともと言語の問題系はほとんど存在しないはずであるにもかかわらず、決定的な箇所で星野さんが「修辞学的な崇高」と呼ぶ主題がせり上がってくるわけですね。

星野—第II部のカントの章は、自分なりに脱構築的な読みを意識して書いたものです。また、いわゆる静態的な歴史記述ではなく、議論が時代をまたいで呼応するような構成を意識しました。ロンギノスのテクストを内在的に読むことで、どのようなトピックを出していけるか。たとえば、第二章で出てきた「パンタシアー」というテーマが、第四章のボワローによる『崇高論』の「改変」の問題、あるいは第五章におけるバークの『崇高と美の観念の起源』に、どのようにつながっていくのか。バークの本にはロンギノスへの言及はほぼないのですが、言語における「像」の位置づけをめぐって、両者は明らかに対立する議論を展開している。そこから両者の「連続性」と「非連続性」について考えていこうとしたものです。また、第一章で提出した「ピュシス」と「テクネー」の問題は、第七章・八章の議論に流れこんでいきますね。本書は、長い時代をまたいでいるだけに、そうしたつながりをつねに意識しながら書いていました。

松浦――全体として、ある緊密なストラクチャーを形づくっていらして、三つの結節点同士のあいだでさまざまな問題が呼応しあうというか、こだまを返しあうような構造になっている。わたしのような無知な者が当てずっぽうでいうのもよくないのですが、第I部のロンギノスの読解も、実はかなりのていど脱構築的な実践といっていいものなんじゃないか。第I部の一章から三章までの部分で取り出してこられた概念、「ピュシス」と「テクネー」、「パンタシアー」と「パトス」、「カイロス」と「アイオーン」の問題ですが、ここに力点を置いて強く読むと、ロンギノスの崇高論が一番おもしろく読めるというか、美学的ならざる「修辞学的な崇高」の意義が際立ってくるということでしょう。それによって、第II部・第III部まで含んだ全体にわたって、複数の問題系がこだまを返しあうという構造が成立する。そういうあたりに、文献学的な記述を裏打ちする哲学的な思弁力の強さを感得しました。

星野――ありがとうございます。

3――**ジャッキー・ピジョー**
一九三七―二〇一六。フランスの古典学者。専門は古代医学史。医学のみならず、古代のさまざまな文献に対する該博な知識に基づき、狂気、メランコリー、心身関係などに関する著作を多数発表。著書に『魂の病』など。

松浦―ピュシスとテクネーの「キアスム的構造」と書いておられたと思いますけれど、両者の関係も、普通に読めば、自然、本性としてのピュシスがまずあり、これをもっとも上手に、もっとも見事に表現するためのテクネーとしての修辞法があるということでしょう。ところがロンギノスのテクストに逐語的にこだわって細かく見ていくと、ある不思議な「キアスム的構造」が存在していて、テクネーは、プラトンが軽蔑した意味での、たんなる技術・技巧ではないのだと、そこを強く読んでいくわけですね。このあたりの読みの力の配分に、読み手の力量を感じました。つまりテクストというのは、均質な密度でなめらかに流れていくわけではなく、凸凹があり濃淡があり強弱がある。どこを強く読み、弱く読むか、そこで人文学の読み手の感性と知性が試されるわけです。

パトスとパンタシアー

松浦―それにしても、この「パンタシアー」というのはとてもおもしろい概念なんですね。これまでフランス語で「イメージ（image）」や「想像力（imagination）」と訳されてきたこの語に、「現われ（apparition）」という訳語を与えた人がいた。

星野―古典学者のジャッキー・ピジョー〔3〕ですね。ピジョーという人は、古典古代の医学史を対象として、フーコー[4]の『狂気の歴史』[5]に比する仕事をした人です。じつは、彼がロンギノスの『崇高論』の新訳を一九九一年に刊行していて、それを留学中に読んだんです。なかなかくせの強い逐語訳をする人で、「パンタシアー」を「現われ」と訳すのもそうですし、「アイオーン」を「永遠」ではなく、著作全体の内容に鑑みて、あえて「時代（Temps）」と訳しています。彼の翻訳から得たものは多いですね。

松浦──そういう決定的な書物との幸便な出逢いを体験しうるということ自体、人文科学の研究者に必須の才能のひとつなんです。フランス語の「apparition」には「幽霊」という意味もあるわけでしょう。訳語に非現実的・超現実的なニュアンスを込めるかどうかで、ずいぶん読みかたも違ってきますね。

星野──ピジョーの読みにしたがえば、ロンギノスにおける「パンタシアー」とは、いわゆる「想像力」ではないのですね。それはアリストテレスがいう意味での表象能力ではない。他方の「イメージ」の場合、もちろんそこには空想的なイメージも含まれるのでしょうが、その場合には実在的なイメージへの傾きがやや強くなってしまうということで、結果として「現われ」という訳語を考えたのだろうと思います。やや奇矯な訳語ですが、その長大な訳註を読めば、テクストの内容を十分に踏まえたうえで導き出された訳語であることがわかります。

4─**ミシェル・フーコー**　一九二六─八四。フランスの哲学者。監獄や精神病院といった社会制度の変遷を歴史的かつ思想的に跡づけ、それを通じて人間の「理性」や「狂気」をめぐる問題に新たな光を投げかけた。晩年は「統治」や「主体性」をめぐるテーマに取り組み、生政治をはじめとする後世の議論に大きな影響を与えた。著書に『言葉と物』、『知の考古学』、『監獄の誕生』など。

5─**『狂気の歴史』（一九六一）**　ミシェル・フーコーの国家博士論文であり、初期の代表作のひとつ。精神医学のみならず、法、政治、思想などにまたがる広範な歴史的資料を渉猟し、西洋における「狂気」の歴史的意味と変遷を明らか

松浦―狂気・幻覚に通じるような何かがロンギノスのなかにあるということで、当然わたしも、フーコーの『狂気の歴史』に思いが至り、フーコー的な系譜学にも通じるものがあると感じたんですけれど、いま聞いてみると、『狂気の歴史』に接続するような仕事をなさったかたが、あえてロンギノスのテクストからその問題系に通じるものを取り出して、「現われ」と訳してみたということなんですね。

星野―そうですね。

松浦―そして、「パンタシアー」の動因としてのパトスということを強調されている。ロゴスではなく、パトスつまり熱情が崇高にこもっていなければならない。その点を強調されたのも、第Ⅱ部・第Ⅲ部につながっていく大変おもしろい部分です。

星野―ロンギノスにおける特異なイメージ論に着目しつつ、近代的なロマン主義の源泉を古代の『崇高論』に求めていく、という先行研究も少なからず存在しています。本書でもそうした議論を参照しつつ、パトスとパンタシアーの結びつきに着目するという方向に議論を進めました。

松浦―「カイロス」と「アイオーン」の二項対立の問題はどうなんでしょう。崇高には、ある特権的な瞬間が必要であり、かつ時代をまたいで、前の時代と後の時代の両方に関わっていかなければならない。そうした時間的な広がりのなかで、

にした。理性と狂気、正常と異常が切り分けられるプロセスを歴史的方法によって明らかにした同書は、精神医学をはじめとする多くの分野に影響を与えた。

引用が繰り返されるテクストにこそ、崇高があるんだという主旨ですね。このあたりは、既存の研究はあるのでしょうか。

星野―第三章で名前を挙げているニール・ハーツ[6]という批評家が、一九七三年にフランス語で発表した「ロンギノス読解」[7]というテクストがあります。わたしの論旨も、そのハーツの読みに影響を受けているところがあります。ほかにも、『崇高論』が書かれた時代性に注目する文献学的な研究はいくつか存在しています。すなわち、『崇高論』で引用されているさまざまな書き手は、すでに過ぎ去った古代の人間であり、ロンギノスはそれを継承する後世の人間として彼らのテクストを論じている。そこから、アプリオリな永遠ではなく、時代の試練に耐えることによる永続的な継承という問題が浮かび上がってくる。これは言うなれば、紀元一世紀の書き手がある種の「モデルニテ」を体現しているという事態です。そういう意味では、おっしゃるように、テクスト内在的でありつつも、すでに第三章の時点で、わりと現代的な問題に強く引きつけて読んでいると言えるかもしれません。

松浦―第Ⅰ部のロンギノスの話から第Ⅱ部へと、一世紀から一七世紀まで、ぽんと時代が飛ぶんですが、このジャンプにも理由があるわけですね。一七世紀まで、ロンギノスの翻訳はまったくなかったんですか。

6―**ニール・ハーツ**
一九三二年生まれ。アメリカの文学者。一八世紀から一九世紀のイギリス文学や精神分析に関する研究を行なう。とりわけ、二〇世紀後半におけるロンギノス『崇高論』の再評価に先鞭をつけた仕事で知られる。著書に『事の終端―精神分析と崇高について』『ジョージ・エリオットの脈動』など。

7―**「ロンギノス読解」(一九七三)**
ニール・ハーツ「ロンギノス読解」宮崎裕助+星野太訳、『知のトポス』第六号、新潟大学人文学部哲学・人間学研究会、二〇一〇年、一三三―一七七頁。西洋古典学的な手法ではなく、文芸批評的な手法によるロンギノス論。一九七三年に仏語版が、次いで一

星野―ギリシア語の原典が流通しはじめたのが一五五四年ですから、この間ロンギノスのテクストは、ほぼ人目に触れていなかったことになります。ただ、その一五〇〇年間、西洋の文学作品において「崇高」という言葉がまったく不在であったわけでもないんです。たとえばダンテ[8]のテクストには「崇高」という言葉が出てきますし、有名なところではアウエルバッハ[9]がそのあたりの問題を詳しく論じています。ただ、わたしがこの本でたどろうとしたのは、あくまでもロンギノスに端を発する「修辞学的崇高」の系譜であり、それが次に歴史の前面に浮上するのはボワローの翻訳をおいてほかにないだろう、と思った。それもあって、第II部では一気に近代のはじめに飛ぶという選択をしました。

松浦―そうしたダンテのテクストだってきちんと把握していらっしゃるわけだから、その系譜を年代的に逐一たどっていけば、体裁のよい篤実な思想史記述になってきますよね。しかし強いベクトルだけを取りだすために、あえて余計なものを切り捨てて、均整の取れた三部構成という簡素な構造をつくり上げられた。それがこの本の迫力になっている。さて、その第II部第四章で論じられているボワローによる『崇高論』の翻訳ですが、誤訳・改変の問題を指摘されていますね。ボワローは新古典主義の時代の著述家にふさわしく、パトス的イメージを排除して、『崇高論』を訳している。意図的にか無意識的にかはわからないけれど、ロ

九八三年に英語版が公にされ、その後の『崇高論』の研究史に少なからぬ影響を与えた。

8―ダンテ・アリギエーリ
一二六五―一三二一。フィレンツェ生まれの詩人、政治家。政争に敗れてフィレンツェを追放後、放浪の旅のなかで地獄篇・煉獄篇・天獄篇からなる長編叙事詩『神曲』を執筆。ラテン語ではなく俗語（トスカーナ方言）で書かれた同作品は、世界文学史においてもっとも重要な作品とみなされている。

ンギノスの著作の核心のひとつを目に入れまいとしている。

星野――この第四章は、松浦さんがいま指摘してくださった最後の部分を書くために、ボワローの翻訳を綿密に見ていったものです。興味深いことに、ギリシア語に相当達者であったと思われるボワローが、「パンタシアー」に関わる部分で、ひとつだけ、確実に逆の意味に取れる誤訳をしている。「詩人が復讐の女神たちを見ている」という記述を「見てはいなかった」と訳しているわけです。それ以外のやや些末な点に目をむけてみても、ところどころでちょっとした手を加えている。しかし同時にそこには一定の整合性もあって、ボワローは古典主義者として、ロンギノスのテクストがもつパトロジックなイメージを排除しようとしていたふしがある。

松浦――まあ、古今東西のどんな書き手もそうですが、ボワローも自分が置かれている時代のパラダイムの拘束を受けていて、それに沿うようにというかそれに逆らわないように、テクストを歪曲したり、意識的ないし無意識的に誤読していたりしていた。

星野――はい。今回の本ではあまり詳しく踏み込めなかったのですが、この時代のテクストを読んでいておもしろいのは、『崇高論』をめぐって、フランスのみならずイタリアでもさまざまな理論的対立が見られることです。そのいくつかは註

9｜**エーリヒ・アウエルバッハ**　一八九二―一九八四。ドイツ生まれの文献学者、文芸批評家。もともとマールブルク大学などで教鞭をとっていたが、ナチスの迫害を逃れイスタンブールに亡命。同地で教鞭をとるかたわら、のちに主著となる『ミメーシス』を執筆した。同書はヨーロッパ文学における「現実」の変遷を論じたものとして、後世に多大な影響を及ぼした。

で補足していますが、ロンギノスの書物は古代派と近代派の双方から重要なテクストと見なされていて、それをいかに読むかという点で両者のあいだには深刻な対立があった。ひとつのテクストの解釈をめぐって、相異なる立場の文学的な潮流がぶつかりあっていたという当時の状況は、調べていてなかなかスリリングなものでした。

松浦—同じひとつのテクストを、対立しあう古代派と近代派の両方がみずからの主張を裏づけるために持ち出してきて、錦の御旗のように押し立てていた。そういう思想的バイアスがかかることで、読みのなかに必然的に歪曲や誤読が導入されるということですね。

星野—そうですね。それこそフランスの新旧論争にとどまらず、のちのイギリス文学に目をむけてみても、本来立場を異にする人たちが、一七世紀から一九世紀にかけてこぞってロンギノスを論じていた。考えてみれば不思議なことだと思うんです。

歪な構造をもった書物

松浦—そして、ボワローの時代につづく一八世紀の崇高論に移ると、当然エドマンド・バークの『崇高と美の観念の起源』が俎上にのぼることになる。この第五章で星野さんが集中的に取り出された問題は、「像（ピクチャー）」の排除ということです。「音」のみを媒介として「共感」を称揚するものとしてとらえたバークの崇高論は、必然的に言語論に焦点化していくことになるわけですね。これは星野さんが主題とした「修辞学的な崇高」と、どこまで重なりあい、どこで掛け違うことになるんでしょう。

星野 まず言えるのは、バークの『崇高と美の観念の起源』という書物が、そもそも歪な構造をもっているということです。バークは同書の目的について述べるさいに、それが「崇高と美という二つの観念を明確に峻別すること」であると言っているのですが、最終的にそこには一定の破綻がある。つまり、第四部まではほぼその言葉通りに遂行されているのですが、なぜか最後の第五部だけが独立した言語論になっている。この事実そのものは以前からたびたび指摘されてきたことではあるのですが、ではその言語論の意味を最大限に高く見積もった場合、どのようなことが言えるのか。それが、この第五章の最初の動機になっています。そこでおそらく重要になってくるのが、この本にロンギノスへの言及がほぼ皆無であることとです。『崇高論』がバークの議論に少なからぬ影響を与えているのは確かなのに、なぜそこに肝心のロンギノスが登場しないのか。バークのテクストのなかに、ロンギノスに対する間接的な応答はないだろうか。そのような問いもありました。また、これも本に書いたことですが、バークの崇高論は、そもそもロンギノスの延長線上にはないという広く流布した通念があります。バークの時代において、崇高なるものは言葉のなかにではなく、自然や芸術といった感性的対象のなかに見いだされるものへと転じていた。したがってロンギノス的な崇高のパラダイムは、バークの時代にはすでに消え去っていたのだ、という通念があります。以上のような問題が出発点にあり、これらをすべて踏まえたうえで、バークがロンギノスから何を継承しているのか、両者がどういった点で連続性をもち、どういった点で離反するのかを浮き彫りにするために、『崇高と美の観念の起源』の言語論にフォーカスしたということです。

松浦　なるほど。それに対して、第六章で論じられるカントの場合、言語の問題系は一見したところ存在せず、むしろ自然の暴風やピラミッドのような壮大な建築といったものを、崇高の例として取りだしてくる。そこで「力学的崇高」と「数学的崇高」という区別が出てくるわけですが、いずれにせよ視覚的な経験の迫力に崇高の本質を見ようとすることになる。にもかかわらず、そうした表出不可能なものの否定的表出の例として、不意に「ユダヤの律法書」や「イシスの碑文」が出てくる。これがおもしろいところですね。

双曲線的／放物線的

星野―カントの崇高論が、もっぱら感性的なものを契機としている一方で、「ユダヤの律法書」や「イシスの碑文」にある言葉が、このうえなく崇高なものとして例示されているということですね。じつはこのことも、すでに過去に指摘されてきたことではあるんです。日本でも、谷川渥[10]さんがやはり同じ問題について論文[11]を書かれています。ただ、そうした従来の議論からどうすれば先に進めるかを考えたのが、第六章の後半です。言葉における崇高さについて論じるカントの議論を、その修辞学批判と結びつけて考えたかった。というのも、カントは修辞学をきわめて侮蔑的な物言いで批判しているからです。カントは修辞学を「陰険な策略を弄する技術」といった言葉で評していて、そもそも修辞学をまったく評価していない。しかし、にもかかわらず、カントのテクストにもある種のレトリカルな操作は確実に存在しているはずだ、と考えたわけです。カントは『判断力批判』で「イシスの碑文」について論じた数年後、「哲学に最近あらわれた尊大な語調について」という論文のなかで、ふたたび「イシス」を取り上げる。そのイシスの「声」について論じるというきわめて重要な局面において、カントもまたある種のレトリックを行使しているのではないか。本音を言えば、ここは

10―**谷川渥**
一九四八年生まれ。美学者。バロックから現代美術までのさまざまな時代の芸術に通じるとともに、美学史の広範な知識に基づいた数多くの著書がある。理論的な仕事のほか、展覧会企画や舞台関係の仕事も多数。主な著書に『美学の逆説』、『芸術をめぐる言葉』、『廃墟の美学』など。

11―**出典**
谷川渥「崇高と芸術――カント『判断力批判』に即して」、『美学の逆説』筑摩書房（ちくま学芸文庫）、二〇〇三年、四一―六六頁。

もうちょっと先まで論じたかったのですが、残念ながら時間切れでした。ただ、第II部に関して、もっとも冒険したのはやはり第六章です。第四章・第五章が論文としてのまとまりを意識したものだとすると、第六章ではやや大胆なことをやってやろうという意識で書いていました。第六章では、いくつかの異なる問題が並行して走っています。まずカントの崇高論のなかに、言語の問題が入り込んでいるということ。そしてカントが修辞学を批判しているのとは対照的に、詩をきわめて高く評価していること。しかし、カントのテクストのなかにも、ある種のレトリカルな操作が存在しているということ。この三つを自分なりに織りあわせながら書き進めていったのが第六章です。そもそも、一八世紀における美学という学問の成立において、修辞学はそれを背後から支えるようなしかたで機能していた。これについても実証的な研究はいくつかあるのですが、一八世紀ドイツにおける美学の誕生の瞬間に、じつは修辞学の語彙がかなりの割合で密輸入されていたということですね。

松浦　「構想力」というあのカント的概念もそのひとつだということですね。この言葉の出自が修辞学にあったという指摘には、目を開かれました。

第III部に話を進めると、星野さんが修論で扱われたリオタールは本書では脇に置いて、フランスの詩人と哲学者、さらにベルギー出身でアメリカに亡命した文芸評論家という三人を取り上げている。そこであらためて、一九八〇年代以降の時ならぬ崇高概念の流行のなかから、もっとも刺激的な部分を取り出そうと試みられた。ロンギノスをめぐって、かたやミシェル・ドゥギーは「パラボリック（放物線的＝寓話的）な超越」といい、かたやラクー＝ラバルトは「イペルボリック（双曲線的＝誇張論理的）な運動」といっている。この対比は、じつにおもしろいですね。

星野――この二つの概念を見つけたとき、第Ⅲ部の大きな絵図は描けたという感じがしました。わたしの本では、第七章がドゥギー、第八章がラクー＝ラバルトという順序になっていますが、ラクー＝ラバルトが八〇年代にすでに「双曲線的＝誇張論理的」という言葉を使っていたのに対し、ドゥギーが崇高論の文脈で「放物線的＝寓話的」という言葉を用いはじめるのは、調べたかぎりではそれよりも後の二〇〇〇年代に入ってからのことです。

松浦――「イペルボリック」という言葉でわたしなどがすぐ思い出すのは、マラルメ[12]の「続誦（プローズ）――デ・ゼッサントのために」という詩篇です。第一行、「イペルボール！」という唐突な呼びかけでいきなりはじまって、現実を超えた彼方へ飛翔しようとする精神の運動を高らかに謳い上げるところから詩の空間が開かれる。デリダなどと同様、ラクー＝ラバルトもマラルメ好きに違いないし、発想の淵源にはこの詩があるのかなと思いました。ラクー＝ラバルトを扱っ

12 **ステファヌ・マラルメ** 一八四二－九八。フランスの詩人。一九世紀フランスの象徴派の中心的存在。シャルル・ボードレールなどの影響のもと、詩作を開始。高等中学校の英語教師を務めながら、詩的言語の可能性を極限まで問うた難解な作品を数々発表。その影響は二〇世紀以降の現代思想や文学にまで及んでいる。主な作品に『半獣人の午後』、『骰子一擲』など。

たこの第八章を読んでいくと、星野さんが第I部で強調していた「ピュシス／テクネー」の問題が流れこんでくるわけですよね。ハイデガー[13]を意識しつつ、「アレーテイアの戯れ」という言葉が出てくるのですが、わたしが今日星野さんにちょっとうかがってみたかったのは、アレーテイアすなわち「真理」の概念は、「崇高」のそれとどういう関係にあるのかということなんです。ラクー＝ラバルトは、崇高が崇高として把握された瞬間に崇高でなくなってしまうというパラドクスとの関わりという文脈で、「アレーテイアの戯れ」について語っているわけですね。これは星野さんの書物の外部にある問題系なので、余計な脱線かもしれませんが、「真理」概念の系譜というものがともかく西洋思想史の大きな流れとしてあって、晩年のフーコーも「パレーシア（真理を言うこと）」の概念を手掛かりにその問題を集中的に論じている。崇高と真理とが切り結ぶ場所があるのかないのか、そのあたりはいかがですか。

星野　真理という言葉は、わたしの本では第一章に頻繁に出てきますが、そもそもこの言葉をどのような位相でとらえるかは、なかなかむずかしい問題だと思っています。拙著のなかでは、これを「本来性」あるいは「ピュシス（自然）」に近いものとして用いています。物事のもっとも本質的な現われ、それが真理であり、ピュシスである。そういった意味での真理と技術の関係を、第一章では主題とし

13｜**マルティン・ハイデガー**
一八八九－一九七六。ドイツの哲学者。二〇世紀最大の哲学者のひとり。一九二七年の『存在と時間』など、現象学や解釈学の影響を受けながら、「現存在」分析を通じて存在そのものを問う著作を発表。実存主義をはじめとする哲学のみならず、広範な領域に思想的影響を与えた。独自の芸術論や技術論でも知られる。その他の著書に『形而上学とは何か』など。

ました。つまり通俗的には、「技術（テクネー）」というものは、あらかじめ存在する真理を歪めてしまうものだとされる。しかしわたしは、物事の真理をあらわにするものこそがテクネーである、というかたちでピュシスとテクネーの関係を論じています。その意味で言えば、崇高さとは、テクネーによって真理としてのピュシスが本来の姿で現れる、そのような事態のことなのではないか。

松浦――真か偽かという二項対立を超えたところに「修辞学的な崇高」が出現するということでしょうか。さて、ポール・ド・マンを論じた最終章の第九章で、「テクスチュアル・サブライム」という概念が提起されますね。

星野――この「テクスチュアル・サブライム」という言葉は、もともとド・マンのカント論を収録したある論文集のタイトルになっているものなのですが、その本を読んでみても、肝心の「テクスチュアル・サブライム」の明快な定義がどこにも見当たらない。そこで、この言葉を自分なりに引き受けながら、それを練りあげることができないかと考えたのが第九章の出発点です。この章ではド・マンに即して、その「テクスチュアル・サブライム」という概念を自分なりに定義しようとしました。

テクストの不気味さ

松浦――第一章から第九章までの流れに沿ってうかがってくると、本書全体の構造があらためて浮かびあがってきて、わたしの理解も深まりました。ともかくたいへんおもしろい本でした。二〇〇〇年にわたる崇高概念の変容のダイナミズムを記述しようとする試みですが、それが思想史でもなく哲学論文でもなく、しかしどちらでもあるような書物として結実した。むしろその両者が重なりあう際どい場所を指し示すような、思考の実践といったほうがいいかもしれません。ただ欲をいうと、修辞学的崇高という本書の中心概念が、いったいどういうテクストに、どういう具体例に顕現しているのか、という疑問が残らないではない。美学的ならざる修辞学的崇高の端的な表れに関して、星野さんならではの独創的な発見と分析があると、もっと肉付けの豊かな論文になったんじゃないか。そういう気もしたのですが。

星野――じつは博論審査のときに、小林康夫さんにも同じことを言われました（笑）。この点についてはすこし説明が必要になるかと思います。まず、この本では修辞学的崇高という概念を中心に置いているわけですが、それは、本書の議論に一貫した背骨を与えるためのひとつの戦略だったということです。つまり従来、崇高はもっぱら感性的な次元において論じられてきたわけですが、それは拙著の言葉では美学的崇高ということになります。他方、それとは異なる修辞学的崇高という酷薄な系譜が存在し、それが美学的崇高の背後にぴたりとくっついているということを、本書では示そうとしました。修辞学的崇高というのは、その意味で、いま述べたような戦略のための梯子のような概念だと考えています。そのうえで言うと、ド・マンを論じた最終章で「テクスチュアル・サブライム」と呼んだものは、修辞学的崇高と重なりあいながら、最終的にそこからはややずれていくものです。最終章のアイロニーの議論にあるように、あるテクストが書き手の意図を離れて、まったく異なるものとして受けとられてしまうことがある。ド・マンの言葉で言えば、テクストはいついかなるときにも「機械」として、それじたいが「自律的」なものとして作動してしまうおそれがある。「ホワッツ・ザ・ディファレンス?」という文章を修辞疑問（いったい何の違いがあるのだ?）ととらえるか、たんなる疑問（その違いは何だい?）ととらえるかは最終的には決定不可能であり、疑問文のほうが修辞疑問文よりも単純であるとは、かならずしも言えないような場面もある。ド・マンがイエイツ[14]の詩について述べているように、一般的に修辞疑問文だと考えられているものを疑問文として受け取ったほうが、テクストの読みが深くなることすらありうるわけです。そのような事態を、「テ

14 ウィリアム・バトラー・イエイツ
一八六五―一九三九。アイルランド出身の詩人・劇作家。一八八九年の第一詩集『アシーンの放浪』は、妖精物語などケルトに伝わる伝説に取材した幻想的な物語詩などで注目を集める。以降も多数の詩集や戯曲を発表するほか、アイルランド文芸復興への参与や神秘思想への傾倒などでも知られる。その他の作品に『ケルトの薄明』など。

クスチュアル・サブライム」という言葉で呼ぼうとしたんですね。ロンギノスが崇高なロゴスの例として挙げる、いわゆる名文とされるテクストがあります。プラトンやホメロスといった古典のなかに見られるすぐれた文章を、ロンギノスは崇高なロゴスだと考えていた。しかし本書が最終的にむかおうとしたのは、そのような方向性とは異なります。それよりももっと凡庸で、日常的な場面にもふと顔を出してしまうようなテクストの不気味さを、修辞学的崇高という概念によって言い表すことができれば、と思ったんですね。だからこそ、これこそが修辞学的崇高であるという事例として、文学的な例を出すことはむしろ避けたかった。

松浦――そこは著者の立場として、首尾一貫しているとは思います。ただ、本書の全体はいってみれば崇高の修辞学をめぐる「一般概論」といったものでしょう。読者としては概論の後に続く各論も読んでみたいという思いに誘われざるをえないわけです。カントがユダヤの律法書を読んだように、あるいはド・マンがイエイツの詩を読んだように、星野さんが具体的に、これこそ修辞学的な崇高だという「テクスチュアル」な場面に立ち会い、その「パンタシアー」と「パトス」を分析しようと試みたものを読んでみたい、という。ただむずかしいのは、ラクー゠ラバルトを論じた章で書かれていたように、崇高というものは、崇高と名前を与えられた瞬間に崇高でなくなってしまう、そういうパラドクスを孕んでいることです。このパラドクスにあえて身をさらし、そのパラドクス自体を包摂しつつ乗り越えるようなかたちで、具体的な各論に赴こうというつもりがあるのかどうか。今後のお仕事の展望との関係で、最後にお聞かせいただけますか。

星野―そのパラドクスがあるだけに、なにかある実例を取り出して、これが崇高であると名指すような仕事、いわゆる文芸批評的な仕事とは、本書の議論は相性が悪いように思うんですね。それはまさしくパラドクスに陥ってしまいかねない。

松浦―あるいは、他者のテクストから崇高を取り出していくという批評の作業よりはむしろ、修辞的崇高がそこに立ち現れてくるような詩なり小説なりの創作をご自身で試みる――そういう方向も考えておられるのでしょうか。

星野―この本を書き上げたことがどれほど影響しているかはわかりませんが、以前よりも文学に対する関心は強くなっているように感じます。昔、松浦さんに「小説を書いてみたらどうですか」と言われたことが、ずっと心に残っていたからかもしれません。それが実際に創作に結実するかどうかはわかりませんが、いずれにせよそうした関心は強まっています。

松浦―楽しみにしています。星野さんが『文學界』に寄せた北村太郎に関するエッセイ[15]を読ませてもらいましたが、詩よりはむしろ小説ですか。

星野―どうでしょう。いずれにしても文学的な言語が、以前よりも身近に迫って

15―出典

↓二一八頁［対談4―註15］。

いるという感じはしています。

松浦――ともあれ、小説というのは俗の俗なるものですからね。崇高が顕現する芸術形式というのは本来、カントも言っているように、やはり詩なんですね。とはいえ超越的なものがすっかり稀薄化し摩滅し、万事が俗塵にまみれているような現代日本に生きているわれわれとしては、ヘルダーリンやリルケのような崇高なる詩篇といったものを書くことはなかなかむずかしい。むしろ小説的散文の、さっき凡庸で日常的とおっしゃった、そうした俗悪性のただなかに崇高がかいま見えるというような、パラドクシカルな出来事の可能性に賭けるべきなのかもしれません。

崇高をめぐる50のブックガイド

1｜古典

01

Longinus, *On the Sublime*, edited by Donald Andrew Russell, Cambridge: Clarendon Press, 1970｜ロンギノス「崇高について」戸高和弘訳、ロンギノス＋ディオニュシオス『古代文芸論集』戸高和弘＋木曽明子訳、京都大学学術出版会、二〇一八年

西洋において「崇高」という概念を主題的に論じた、現存する最古の書物――それが偽ロンギノスによる『崇高論（ペリ・ヒュプスース）』である。著者は長らく三世紀の修辞家ロンギノスとされてきたが、現在では紀元一世紀前半の無名作家によるものとする説が有力。現存する写本には三分の一ほどの欠落があり、いまなおその全体像は謎に包まれている。それでも、哲学・歴史・文学にまたがるさまざまなジャンルの作品を対象に、われわれの心を陶酔へと導く「崇高な言葉」について論じた同書は、今日にいたるまでの「崇高」をめぐる言説の唯一無二の起源でありつづけている。

02

Nicolas Boileau, « Préface au *Traité du Sublime* de Longin », dans Longin, *Traité du Sublime*, traduit par Nicolas Boileau, introduction et notes par Francis Goyet, Paris: Librairie Générale Française, 1995（ニコラ・ボワロー「ロンギノス『崇高論』への序文」）

時は一七世紀半ば、それまでごく一部の人々にのみ知られていたロンギノスの『崇高論』をヨーロッパ中に広めたのが、詩人ニコラ・ボワロー（一六三六―一七一一）による同書の仏訳だった。このギリシア語からの翻訳はたちまち評判を呼び、後世の作家・文学者による『崇高論』の発見に大きく寄与した。他方、その訳文はかならずしも原典に忠実なものではなく、当時のフランスにおける「新旧論争」の影響を色濃く反映していた。そうしたロンギノスのいくぶん恣意的な読みかたは、ボワロー当人による複数の「省察（Réflexion）」によってさらに補強されている。

03

Edmund Burke, *A Philosophical Enquiry into the Origin of Our Ideas of the Sublime and Beautiful* (1757), edited by James T. Boulton, London: University of Notre Dame Press, 1968｜エドマンド・バーク『崇高と美の観念の起原』中野好之訳、『エドマンド・バーク著作集』第一巻、みすず書房、一九七三年［みすずライブラリー、一九九九年］

現代のわれわれが抱く「美」と「崇高」のイメージは、一八世紀イギリスにおいてつくり上げられたそれを基本的な土台としている。当時、アディソンらが主宰していた雑誌『スペクテイター』の議論や、ロック、ヒューム、ハチソンらの経験主義を継承しつつ書かれたバークの『崇高と美の観念の起源』（一七五七）は、「美」と「崇高」という二つの観念の対立を決定的なものとした。その意味で、本書は近代的な「崇高」の紛れもない起源である。いわば、拙著『崇高の修辞学』（月曜社、二〇一七年）において「美学的崇高（aesthetic sublime）」と呼んだものの「地ならし」をしたのが本書であると言えよう。

04

Moses Mendelssohn, „Über das Erhabene und Naive in den schönen Wissenschaften" (1759), in *Ästhetische Schriften*, Hamburg: Felix Meiner Verlag, 2006（モーゼス・メンデルスゾーン「文芸における崇高なものと素朴なものについて」）

ドイツ啓蒙期のユダヤ人哲学者メンデルスゾーン（一七二九―八六）による崇高論。この論文は、バークの『崇高と美の観念の起源』から二年後、ドイツ語ではもっとも早い時期に書かれた「崇高」論である。このメンデルスゾーンによる論文は今日ほとんど忘却されているが、その後のカント、シラーへと至る先駆的な仕事として、ふたたび光を当てられるべきものである。なお、ドイツにおける「崇高」論はこのメンデルスゾーンとレッシングの二人をもって先駆とし、のちにガルヴェが『崇高と美の観念の起源』を訳出したことでさらにその裾野を広げた。

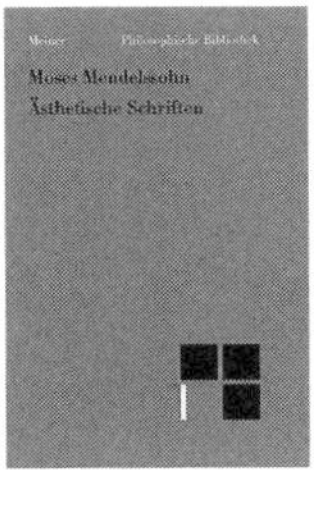

05 Immanuel Kant, „Beobachtungen über das Gefühl des Schönen und Erhabenen“(1764), in *Werke: Vorkritische Schriften*, vol. 2, Berlin: Bruno Cassirer, 1922｜イマヌエル・カント「美と崇高の感情にかんする観察」久保光志訳、『カント全集2 前批判期論集II』岩波書店、二〇〇〇年

バークの『崇高と美の観念の起源』をはじめ、一八世紀半ばのイギリスで隆盛をきわめた「崇高」論は、ドイツの哲学者カント（一七二四―一八〇四）にも少なくない影響をおよぼした。その証拠となる論文のひとつが、のちに大哲学者となる前――いわゆる「前批判期」――のカントが著した「美と崇高の感情にかんする観察」（一七六四）である。これはのちの『判断力批判』における「美しいもの」と「崇高なもの」をめぐる議論を先取りするものとして、今なお一読に値する。カントみずから「哲学者」ではなく「観察者」の目をもって書いたと宣言するだけあって、論旨はきわめて明快である。かたやこの論文は、性や人種をめぐるカントの差別主義的な思想を伝えるものとして（それぞれ第三章、第四章）とりわけ悪名高いもののひとつである。

06 Denis Diderot, « Salon de 1767 », in *Salons*, textes choisis, présentés, établis et annotés par Michel Delon, Paris: Gallimard, 2008（ドゥニ・ディドロ「一七六七年のサロン」）一部分訳：山上浩嗣「ディドロ『サロン』抄訳（4）」『大阪大学大学院文学研究科紀要』第五九号、二〇一九年、一二五―一七一頁／山上浩嗣「ディドロ『サロン』抄訳（5）」『大阪大学大学院文学研究科紀要』第六〇号、二〇二〇年、四一―七六頁

一八世紀半ば、いまや本格的に自然を対象としつつあった「崇高」概念は、同時に絵画をはじめとする美術批評の領域にも浸透をはじめていた。フランスの啓蒙思想家ドゥニ・ディドロ（一七一三―八四）の「サロン評」のうち、画家クロード＝ジョゼフ・ヴェルネの作品を論じた「一七六七年のサロン」にも、やはり「崇高」の語彙がみとめられる。ヴェルネ作品における「廃墟」の表象への注目を典型として、美術批評の領域における「崇高」は、このディドロのサロン評を嚆矢とする。

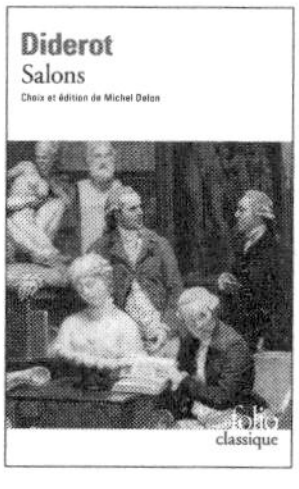

07

Immanuel Kant, *Kritik der Urteilskraft* (1790), Hamburg: Felix Meiner Verlag, 2006｜イマヌエル・カント『判断力批判』牧野英二訳、『カント全集8・9 判断力批判（上・下）』岩波書店、一九九九―二〇〇〇年／『判断力批判』熊野純彦訳、作品社、二〇一五年

バークの『崇高と美の観念の起源』において示された「美」と「崇高」のカップリングは、カントの『判断力批判』（一七九〇）によって、そこからさらなる洗練をみせることになった。しかしながら、同書の第二三―二九節を構成する「崇高なものの分析論」にカントが与えたステータスは、同書第一部の主題である「美しいものの分析論」の「たんなる付録（einen bloßen Anhang）」という地位にとどまっていた。その言葉を字義通りに取るかどうかはともかく、カントによる崇高論の哲学的な真価が明らかになるには、それからしばし時を経た二〇世紀を待たねばならない。いずれにせよ、一八世紀以来のあらゆる「崇高」の思想は、このカントの議論との対決なくしてはありえなかった。

08

Friedrich von Schiller, „Über das Erhabene,“ in *Sämtliche Werke*, Bd. 5, München: Carl Hanser, 1965–1967｜フリードリヒ・フォン・シラー「崇高について」小宮曠三訳、『世界文学体系〈18〉シラー』筑摩書房、一九五九年

詩人・歴史家・劇作家として知られるフリードリヒ・フォン・シラー（一七五九―一八〇五）は、『判断力批判』におけるカントの崇高論から多大な影響を受けた同時代人のひとりである。カントに刺激されたシラーはみずから二篇の崇高論（Vom Erhabenen; Über das Erhabene）を書き残しているが、そのうちよりオリジナルな思想が開陳されているのが、後者の「崇高について（Über das Erhabene）」である。ほかにもシラーは『人間の美的教育について』（一七九五）をはじめとする複数の著書において、カントの美学を取り込みつつ継承したことで知られる。しばしば指摘されるように、そうしたシラーの美学は、芸術を通じた人間の（道徳的な）教育にもっとも重きをおいている。「美」のみならず「崇高」の経験を問題とする場合でも、これはまったく同様である。

09

Georg Wilhelm Friedrich Hegel, *Vorlesungen über die Ästhetik*, 3 vols., Frankfurt am Main: Suhrkamp, 1970｜G・W・F・ヘーゲル『美学講義』長谷川宏訳、全三巻、作品社、一九九五―九六年

かの大哲学者ヘーゲル（一七七〇―一八三一）による「崇高」についての所見は複数のテクストにまたがっているが、なかでも頻繁に参照されるのが、『美学講義』における「崇高な象徴表現」（長谷川宏訳では「高遠な象徴表現」）と題されたパートである。ヘーゲルの「崇高」論はカントのそれを強く意識しつつも、それをみずからの象徴理論の一部として組み込んだところに大きな特徴がある。巨大な自然や建築ではなく、カントが「総註」で挙げたのと同じ『旧約聖書』の文言に着眼するヘーゲルの「崇高」は、カントのそれよりもはるかに言語的な次元に重きをおいている。

10

Theodor W. Adorno, *Ästhetische Theorie* (1970), Hrsg. von Gretel Adorno und Rolf Tiedemann, Frankfurt am Main: Suhrkamp, 1973｜テオドール・W・アドルノ『美の理論』大久保健治訳、全二巻（本文・補遺）、河出書房新社、一九八五―八八年［新装版二〇一九年］

二〇世紀における「崇高」論の古典としては、T・W・アドルノ（一九〇三―六九）の仕事も挙げておかねばならない。アドルノは主著である『否定弁証法』（一九六六）においても――とりわけカントについて書くときに――「崇高」という語彙を用いていたが、それに輪をかけて重要なのが、死後に公にされた『美学理論』（一九七〇）である。ここでアドルノは、もっぱら自然を対象とするカントの「崇高」論をふまえつつ、芸術における「崇高」の可能性をさかんに論じている。のちに挙げるリオタールが「崇高」について語るとき、カントやバークとともに強く意識されているのが、このアドルノによる否定弁証法的な「崇高」である。

2｜美術

11

Barnett Newman, "The Sublime Is Now" (1948), in John P. O'Neill (ed.), *Barnett Newman: Selected Writings and Interviews*, New York: Alfred A. Knopf, 1990, pp. 170–174｜バーネット・ニューマン「崇高はいま」神林恒道訳、『芸術／批評』第〇号、東信堂、二〇〇三年、一四五－一五〇頁／「崇高はいま」三松幸雄訳、バーネット・ニューマン『崇高はいま』三松幸雄編訳、Tokyo Publishing House、二〇一二年

戦後アメリカを代表する画家バーネット・ニューマン（一九〇五－七〇）は、みずから文章をものする論客でもあった。そのニューマンによる「崇高はいま」（一九四八）は、モダン・アートを含めた従来の美術が形式上の実験に終始し、本来あるべき高い精神性の獲得を怠ってきたと批判する。ここでもバーク／カント以来の「美」と「崇高」のカップリングは保持されているが、ニューマンの場合、美術作品における造形性の探求が「美」に、そして精神性の探求が「崇高」に対応するところが独特である。

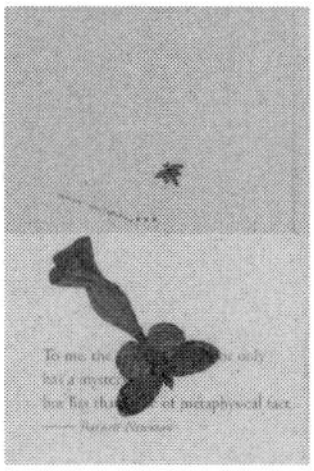

12

Robert Rosenblum, "Abstract Sublime" (1961), in *On Modern American Art: Selected Essays*, New York: Harry N. Abrams, 1999（ロバート・ローゼンブラム「抽象的崇高」）

アメリカの美術史家ロバート・ローゼンブラム（一九二七－二〇〇六）が一九六一年に『アートニューズ』に発表した論文。この論文においてローゼンブラムは、当時活躍していた抽象表現主義の画家（クリフォード・スティル、マーク・ロスコ、ジャクソン・ポロック、バーネット・ニューマン）を取りあげ、かれらの作品を「抽象的崇高（abstract sublime）」と呼んだ。ローゼンブラムがこの議論を通じて試みたのは、当時のアメリカの新進画家たちを、フリードリヒやターナーをはじめとする一九世紀前半のロマン主義の後継とみなすことであった。「抽象的崇高」という言葉はその後ほとんど使われることはなかったものの、このような著者の問題意識は、のちの『近代絵画と北方ロマン主義の伝統』（神林恒道＋出川哲朗訳、岩崎美術社、一九八八年）において十全に展開されることになる。

13

Linda Dalrymple Henderson, *The Fourth Dimension and Non-Euclidean Geometry in Modern Art*, Princeton: Princeton University Press, 1983; enlarged edition, Cambridge, Mass: The MIT Press, 2013（リンダ・D・ヘンダーソン『モダン・アートにおける四次元と非ユークリッド幾何学』）

リンダ・D・ヘンダーソン（一九四八―）は、モダン・アートにおける科学技術、神秘主義、オカルティズムからの影響を果敢に探求してきた美術史家である。二〇一三年にMITからリイシューされた本書では、キュビスム、未来派、シュプレマティスムをはじめとする二〇世紀美術における四次元主義や非ユークリッド幾何学（からの影響）が論じられる。「崇高」もまた――おもに「無限」の概念を通じて――これら一連の議論のなかにはめ込まれることになるだろう。日本語でその概要を知りたい読者は、本書の刊行後に展覧会「芸術における精神的なもの――一八九〇―一九八五年の抽象絵画」（*The Spiritual in Art: Abstract Painting 1890–1985*, LACMA, 1986）の図録にヘンダーソンが寄せた論文「神秘主義、ロマン主義、四次元」（富井玲子訳、『現代思想』一九九五年五月号、八六―一一五頁）を参照されたい。

14

Jean-François Lyotard, *L'inhumain: Causeries sur le temps*, Paris: Galilée, 1988｜ジャン＝フランソワ・リオタール『非人間的なもの――時間についての講話』篠原資明＋上村博＋平芳幸浩訳、法政大学出版局、二〇〇二年［新装版二〇一〇年］

いわゆる「フランス現代思想」にくくられる人々のなかで、もっとも「崇高」に関わりの深い思想家といえばジャン＝フランソワ・リオタール（一九二四―九八）をおいてほかにいまい。リオタールはロンギノス、ボワロー、バークをはじめとする過去の崇高論をひととおり踏まえつつも、とくにカントの『判断力批判』を参照しながら、前世紀における「崇高」論の賦活に大きく寄与した。その議論の一端は『熱狂――カントの歴史批判』（一九八六）や『ハイデガーと「ユダヤ人」』（一九八八）をはじめとする思想的な書物にもかいま見えるが、現代美術の世界における同時代的なインパクトで言うと、『非人間的なもの』（一九八八）に所収の「崇高と前衛」や「瞬間、ニューマン」をはじめとする諸論文がとりわけ重要である。

15

市原研太郎『ジグマール・ポルケ――理念なき崇高』WAKO WORKS OF ART、一九九四年

旧東ドイツを代表する作家ジグマー・ポルケ（一九四一―二〇一〇）についての批評的モノグラフ。ゲルハルト・リヒターやアンゼルム・キーファーのような作家とくらべると、ポルケと「崇高」という組み合わせは意外なものであるように思えなくもない。だが本書の特徴は、ポルケの作品にみられる「斑」や「筋」をはじめとする不確定な形象を「崇高」というキーワードに絡めて論じたところにある。ポルケにおける不確定な形象は、われわれが絵画を見るときの解読格子（コード）のちょうど隙間にあたり、それが結果的に崇高なものを喚起するきっかけとなる。同時に、そこにはいかなる「理念」も不在であり、それゆえポルケの絵画はカントやバークにおける「崇高」とは異なるものへと至っている、というのが本書の立場である。

16

Bill Beckley (ed.), *Sticky Sublime*, New York: Allworth Press, 2001（ビル・ベックリー編『不愉快な崇高』）

アメリカのアーティスト、ビル・ベックリー（一九四六―）が編集主幹を務める「今日の美学（Aesthetics Today）」の一冊。本書はベックリー本人の編纂のもと、アメリカの文学・芸術・建築などにおける「崇高」の問題を幅広く扱う。なかにはハロルド・ブルームやバーバラ・クレア・フリーマンのような文芸批評家による骨太な論文もあるが、ウォレス・スティーヴンズの詩「アメリカの崇高（The American Sublime）」やベックリーによる書簡形式の序文など、さまざまなタイプの――悪く言えば雑多な――文章が並ぶ。現代美術における「美と崇高」の認識をアップデートするには、本書とハル・フォスターの『強迫的な美』（Hal Foster, *Compulsive Beauty*, Cambridge, Mass: The MIT Press, 1993）をあわせて読んでみてもいいかもしれない。

17

Simon Morley (ed.), *The Sublime*, London: Whitechapel Gallery; Cambridge, Mass: The MIT Press, 2010（サイモン・モーリー編『崇高』）

ホワイトチャペル・ギャラリー（英）とＭＩＴプレス（米）が刊行する「現代美術の資料集（Documents of Contemporary Art）」の一冊。アーティストや思想家による広い意味での「崇高」にまつわる文章が「自然」「技術」「恐怖」といったいくつかのテーマに沿って紹介される。それぞれの文章の抜粋は短いが、現代美術における「崇高」というトピックを各方面に広げるための最初の一冊として有益である。ここまで本書が挙げてきたような話題はひととおり紹介されており、初学者むけの「リーダー（読本）」としても不足はない。さらに、タシタ・ディーン、リチャード・ロング、リュック・タイマンスをはじめ、一見すると「崇高」とは無縁なアーティストの文章が多数収められていることも大きな特徴である。

18

Andreas Broeckmann and Yuk Hui (eds.), *30 Years After Les Immatériaux: Art, Science and Theory*, Lüneburg: mason press, 2015（ブロックマン＋ホイ編『『非物質的なものたち』から三〇年後——芸術・科学・理論』）

一九八五年にポンピドゥー・センターで開催された展覧会「非物質的なものたち（*Les Immatériaux*）」を回顧したシンポジウムの記録集。ジャン＝フランソワ・リオタールとティエリー・シャピュの共同キュレーションによるこの展覧会は、当時はその実験性から芳しい評価を得られなかったものの、それから約三〇年後に世界各地で再評価の機運に恵まれることとなった。とりわけ、アンドレアス・ブロックマンとユク・ホイの編集による本書は、当時リオタールが取り組んでいた「崇高」の美学との関わりから「非物質」展の内容に迫るアントニー・フーデック、ベルナール・スティグレールらの論文を収めており、現代美術における「崇高」の問題を考えるうえでも一読に値する。

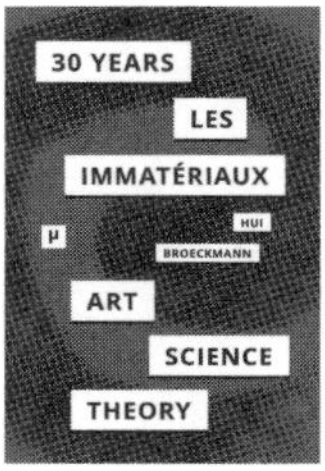

19

Sublime. Les tremblements du monde, sous la direction d'Hélène Guenin, Metz: Centre Pompidou-Metz, 2016（『崇高——世界の震動』［展覧会カタログ］）

二〇一六年にポンピドゥー・センター・メスで開催された展覧会の図録。サブタイトル「世界の振動」からは地震などの自然災害が連想されるが、同時に人新世をはじめとする昨今の議論にも光が当てられている。本書（本展示）で扱われる作品はきわめて幅広く、フリードリヒ、ターナーをはじめとするロマン主義絵画から、ロバート・スミッソンのランドアート、さらにはラース・フォン・トリアーの映画『メランコリア』まで多岐にわたる。エレーヌ・ゲナン「カオスモーズ」（Hélène Guenin, «Chaosmose»）やジャン＝バティスト・フレッソ「人新世と崇高の美学」（Jean-Baptiste Fressoz, «L'anthropocène et l'esthétique du sublime»）など、収録された論文にも興味深い内容のものが並ぶ。

20

Ryoji Ikeda, continuum, Pliezhausen: Éditions Xavier Barral, 2018.（『池田亮司　連続体』［展覧会カタログ］）

ダムタイプのメンバーとしても知られる美術家・音楽家の池田亮司（一九六六―）の作品は、しばしば「崇高」という言葉とともに論じられてきた（本書の対談1を参照のこと）。だが、従来の言説のほとんどは、池田の作品がもたらす印象からほとんど反射的に「崇高」という語彙を持ち出していたにすぎない。これに対し、「崇高」という言葉が喚起する表層的な意味にとらわれることなく、これを「閾下の時間（subliminal time）」というキーワードから論じたのが、フランスの哲学者エリー・デューリング（一九七二―）である。二〇一八年にポンピドゥー・センターで開催された個展と連動した本カタログは、そのデューリングによる池田亮司論（Elie During, "Ikeda, or Subliminal Time"）を収める。

3 | 研究書

21

Samuel Holt Monk, *The Sublime: A Study of Critical Theories in XVIII-Century England* (1935), Ann Arbor: University of Michigan Press, 1960（サミュエル・E・モンク『崇高——一八世紀イングランドにおける批評理論の研究』）

アメリカの文芸批評家サミュエル・E・モンク（一九〇二–八一）による古典的文献。プリンストン大学に提出された博士論文をもとにした本書『崇高——一八世紀イングランドの批評理論についての研究』（一九三五）は、一八世紀イギリスにおける「崇高」についての先駆的な研究書として、長らく不動の地位にあった。当時のロンギノスの受容状況はもちろんのこと、ボワロー、シルヴァンをはじめとするフランスの著述家からの影響についても詳細に論じられており、その学術的・批評的評価の高さも頷ける。ほぼ一世紀前の書物であるがゆえの限界もあるが、現在まで陸続する一連の研究書のはじまりに位置づけうる仕事として、いちど目を通しておいて損はない。

22

Thomas Weiskel, *The Romantic Sublime: Studies in the Structure and the Psychology of Transcendence*, Baltimore: Johns Hopkins University Press, 1976（トマス・ワイスケル『ロマン主義的崇高——超越性の構造と心理学』）

ミルトン、ブレイク、ワーズワースなど、ロマン主義文学における「崇高」を主題的に論じた古典的文献。本書は、弱冠二九歳の若さで事故死したトマス・ワイスケル（一九四五–七四）の唯一の著書であり、記号論や構造主義の知見を取り入れた「崇高」へのアプローチは、当時としては先駆的なものであった。ロマン主義の詩をおもな対象としていることもあり、本書における「崇高」の問題系は、人間の（限界の）超越というモチーフに集中している。さらに、カントの「崇高」を否定的・隠喩的なものと整理したうえで、それに対抗する積極的・換喩的な「崇高」を提唱するなど、学術書としてのみならず、批評的にも見るべきところの多い一冊である。

23

Piero Boitani, *The Tragic and the Sublime in Medieval Literature*, Cambridge: Cambridge University Press, 1989.（ピエロ・ボイターニ『中世文学における悲劇的なものと崇高なもの』）

中世文学における「崇高」を専門的に論じた文献はさほど多くない。ローマ生まれの文芸批評家ピエロ・ボイターニ（一九四七–）による本書（原書は英語）は、ダンテをはじめ、チョーサー、ペトラルカなどを論じた九篇のエセーからなる。それぞれの内容は基本的には独立しているが、全体として「悲劇的なもの（the tragic）」と「崇高なもの（the sublime）」という二つの概念が、本書の枢軸をなしている。本書の序文によれば、「悲劇的なもの」が人間と世界との解消不可能な葛藤を描き出すものであるのに対し、「崇高なもの」は、その葛藤それ自体を高揚感あふれる言葉へと転じるという相違がある。本書全体のモチーフは、中世文学を対象に、この前者から後者への転換のポイントを探り当てることにある。

24

Nicholas Cronk, *The Classical Sublime: French Neoclassicism and the Language of Literature*, Charlottesville: Rookwood Press, 2002（ニコラス・クロンク『古典主義的崇高——フランス新古典主義と文学の言語』）

フランスの新古典主義における「崇高」を包括的に論じた研究書。ボワローによる『崇高論』の仏訳（一六七四）を中心に、「驚異的なもの（le merveilleux）」や「いわく言いがたいもの（le je ne sais quoi）」といった隣接概念にも、広く目配せがなされている。本書の著者ニコラス・クロンクが指摘するように、一七世紀においてもっぱら文学を対象としていた「古典主義的崇高（classical sublime）」は、それから間もない一八世紀において、美学の概念としての「ロマン主義的崇高（romantic sublime）」に道を譲ることになった。

25 Baldine Saint Girons, *Le Sublime de l'Antiquité à nos jours*, Paris: Desjonquères, 2005（バルディーヌ・サン・ジロン『古代から現代までの崇高』）

フランスにおける崇高論の大家バルディーヌ・サン・ジロン（一九四五―）による「崇高」概念の通史。表題からは入門書のような印象も受けるが、内容はひととおりの知識をもった読者を想定している。いわゆる概説書にはない話題も数多く含まれているため、より専門的な知識を求める読者にはぜひ一読を勧める。なかでも「崇高」と「教育（パイディア）」の関わりなど、とりわけ古代ギリシア・ローマにかんする考察が興味深い。本書のほか、サン・ジロンには博士論文をもとにした『光あれ――崇高の哲学』（*Fiat lux. Une philosophie du sublime*, Paris: Quai Voltaire, 1993）という浩瀚な書物もある。

26 梅木達郎『支配なき公共性――デリダ・灰・複数性』洛北出版、二〇〇五年

二〇〇五年に早逝したフランス文学者、梅木達郎（一九五七―二〇〇五）の没後に編まれた論文集。ドゥギーほか『崇高とは何か』（法政大学出版局、一九九九年）の訳者でもある梅木は、同書に寄せた――ほとんど一篇の論文に相当する――「訳者あとがき」において、弁証法と誇張法という「二つの崇高論」をめぐる見事なシェーマを示した。実のところ、本書でたどってきた二〇世紀の「崇高」をめぐる問題のすべては、この梅木による「訳者あとがき」に集約されているとすら言えるだろう。とりわけ最後に引用される、「人間は自分の限界を経験するなかで神的である」というバタイユの言葉は示唆的である。本書『支配なき公共性』は、これを改題のうえ「崇高論をめぐって――弁証法から誇張法へ」として収めるほか、デリダ、ジュネ、アーレントらを論じた緊張感のある美しい文章がそれに並ぶ。

27 牧野英二『崇高の哲学――情感豊かな理性の構築に向けて』法政大学出版局、二〇〇七年

カントやディルタイを専門とする著者・牧野英二（一九四八―）が、西洋哲学における「崇高」の現代的な可能性を論じた書。バークやカントはもちろんのこと、ハイデガーやウィトゲンシュタインといった、この話題においては脇におかれがちな哲学者を取りあげつつ、二〇世紀後半のナンシー、ラクー＝ラバルト、リオタールらの議論までをも射程に収める。カントやバークとの対決を回避した「モード」としての崇高論を厳に戒め、直接的には「崇高」を問題としないハイデガーやウィトゲンシュタインにおける「驚異」に光を当てるその論の運びには、粘り強い思索に裏づけられた確かな説得力がある。とくに本書の中核をなすカントの「崇高」については、著者のこれまでの研究成果が惜しみなく披露されており、大いに参考になる。

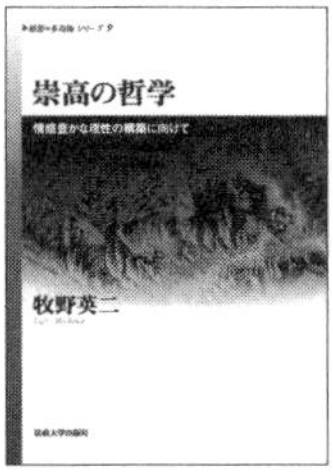

28 桑島秀樹『崇高の美学』講談社、二〇〇八年

バークを中心とするアイルランド美学を専門とする著者・桑島秀樹（一九七〇―）によるユニークな「崇高」の美学。この概念をめぐる一般的な叙述に終始するのではなく、山岳や原爆といった具体的な対象・事象にそくして、崇高をめぐる諸問題が身近なものとして論じられる。バークおよびカントの「崇高」についての行き届いた解説（第二章）のほか、ゲオルグ・ジンメル、ジョン・ラスキンという、この話題において見過ごされがちな二人の「崇高」概念についても詳述され（第三章）、最後はアメリカにおける「技術的崇高」からアウシュヴィッツ、ヒロシマへと議論がおよんだところで締めくくられる（第四章）。「地」への沈潜こそが「天」への道をひらくという本書の結語は、「石ころへのオマージュ」から始まる本書の議論を締めくくるにふさわしい。

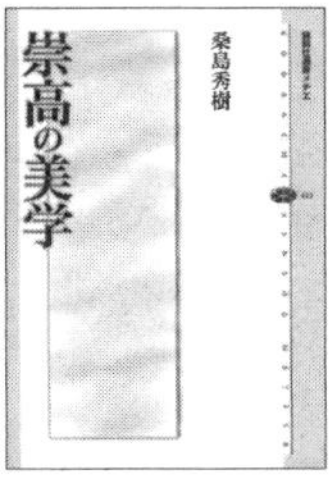

29 宮崎裕助『判断と崇高──カント美学のポリティクス』知泉書館、二〇〇九年

ジャック・デリダやポール・ド・マンの研究で知られる宮崎裕助（一九七四―）による本書では、カントの「判断（力）」をめぐる議論からシュミットやデリダの「決断＝決定」へといたる流れを軸として、われわれの感性的経験のリミットとしての「崇高」が論じられる。超越的なものを媒介とする否定神学的な「崇高＝サブライム」を周到に回避し、カントの『判断力批判』から「吐き気」という別の出口を剔出する本書は──著者の言葉を用いれば──「美」でも「崇高」でもない「パラサブライム」の探求の試みである。なお、本書の「間奏」に相当する「物質的崇高」と題された章は、ポール・ド・マンの──きわめて晦渋な──『美学イデオロギー』（一九九六）の解説として、日本語で読みうる最良の論文のひとつである。

30 星野太『崇高の修辞学』月曜社、二〇一七年

近代の美学は、「美と醜」でも「美とゴシック」でもなく、「美と崇高」のせめぎあいを軸に発展してきたと言ってよい。反面、そうした近代美学の伝統のなかで抑圧されてきたのは、かつてロンギノスや後世の修辞家たちが論じた「言葉」における崇高さにほかならなかった。本書は、自然や芸術を対象とする一八世紀以来の崇高論を「美学的崇高（aesthetic sublime）」として総括し、その背後で忘却されてきたもうひとつの系譜を「修辞学的崇高（rhetorical sublime）」として提示する。こうした対立図式のもと、本書は二〇世紀後半に再燃した「崇高」論を通じて、ドゥギー、ラクー＝ラバルト、ド・マンの議論からテクスト一般における「崇高」の可能性を探り出すことを試みた。

4｜文学・批評理論

31

Roland Barthes, «L'ancienne rhétorique. Aide-mémoire», *Communications*, no. 16 (décembre 1970), pp. 172–223; *Œuvres complètes, tome 3, 1968–1971*, Paris: Seuil, 2002, pp. 527–600｜ロラン・バルト『旧修辞学──便覧』沢崎浩平訳、みすず書房、一九七九年［新装版二〇〇五年］

二〇世紀を代表する批評家・記号学者であるロラン・バルト（一九一五―八〇）は、あるとき旧来の修辞学をコンパクトに整理した一本の論文を発表する。この「旧修辞学」（一九七〇）と題されたテクスト──元々は講義録──は、いわゆる伝統的なレトリックをめぐる教科書的な説明に終始しており、そこにバルトの華麗な文章が顔をのぞかせることはほとんどない。それでも、ここには見るべき洞察がいくつも含まれている。たとえば本論文でロンギノスの『崇高論』に触れるバルトは、同書が「超越論的な（transcendental）」修辞学書である、とさらりと述べる。じっさい、つねに規範的な修辞学の彼方へ赴こうとする『崇高論』を形容するにあたって、おそらくこれほどふさわしい言葉もない。

32

Neil Hertz, «Lecture de Longin», *Poétique*, no. 15 (1973), pp. 292–306; "A Reading of Longinus," in *The End of the Line: Essays on Psychoanalysis and the Sublime*, New York: Columbia University Press, 1985｜ニール・ハーツ「ロンギノス読解」宮崎裕助＋星野太訳、『知のトポス』第六号、新潟大学人文学部哲学・人間学研究会、二〇一〇年、一三三―一七七頁

一九世紀後半から二〇世紀にかけて、ギリシア・ローマの古典の文献学的な調査が進むと、ロンギノスの『崇高論』もまた新たに脚光を浴びることになる。W・R・ロバーツ、H・ルベーグ、D・A・ラッセルらによる校訂の成果に基づき、同書に対して堅実かつスリリングな読解を施したのが、ニール・ハーツ（一九三二―）による「ロンギノス読解」（一九七三）である。フランスの『ポエティック』誌を初出とするこの論文は、のちのドゥギー、ラクー＝ラバルト、ナンシーらの「崇高」論に先鞭をつけるものであった。

33

Hugh J. Silverman and Gary E. Aylesworth (eds.), *The Textual Sublime: Deconstruction and Its Differences*, Albany: State University of New York Press, 1990（シルヴァーマン＋エイルスワース編『テクスチュアル・サブライム──脱構築とその差異』）

脱構築における「テクスト」概念との関わりにおいて「崇高」というテーマを設定した論文集。本書の編者のひとりであるH・J・シルヴァーマン（一九四五―二〇一三）は二〇世紀の大陸哲学を専門とし、ガダマー、メルロ＝ポンティ、リオタールなどについての編著書がある。この論文集について言うと、ポール・ド・マンの「カントにおける現象性と物質性」（一九八三）をはじめとする脱構築的「崇高」からの影響が色濃く見られる。本書が掲げる「テクストの崇高（textual sublime）」というキャッチフレーズは魅力的なものだが、残念ながら、それにともなう内実がここで十全に示されているとは言いがたい。

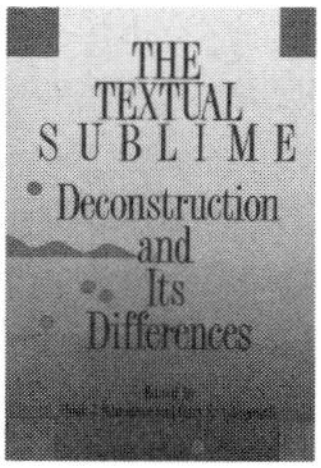

34

Richard Klein, *Cigarettes are Sublime*, Durham: Duke University Press, 1993｜リチャード・クライン『煙草は崇高である』太田晋＋谷岡健彦訳、太田出版、一九九七年

コーネル大学で長らく教鞭をとったリチャード・クライン（一九四一―）による「煙草」論。著者の専門はフランス文学だが、同世代の脱構築派の論者たちと同様に、本書でも現代思想や批評理論を駆使した切れ味のよい議論が展開される。日本では『批評空間』における連載を通じて知られるようになった書物だが、その洒脱なスタイルによって好評を博し、これまで数多くの言語に翻訳されている。喫煙文化の擁護を通じて「健康第一」のイデオロギーを批判する本書の思想は、それ自体としては目新しいものではない。むしろ本書の美点は「崇高」とも縁の深い──「誇張法」をはじめとするさまざまな修辞を駆使しつつ、喫煙という「言説的行為」をあざやかに描き出してみせたところにあると言えるだろう。

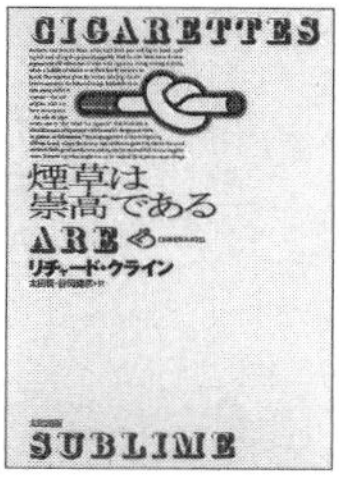

35

Barbara Claire Freeman, *The Feminine Sublime: Gender and Excess in Women's Fiction*, Berkeley, University of California Press, 1995（バーバラ・クレア・フリーマン『女性的な崇高――女性たちのフィクションにおけるジェンダーおよび超過するもの』）

いまだ数少ない、フェミニズム理論にもとづく文学的「崇高」論。本書はその先駆的な試みとして、のちの研究論文においてもしばしば引き合いに出されてきた。文芸批評家であり、現在は詩人としても活動するB・C・フリーマンは、本書においてロンギノス、バーク、カントらの「崇高」論を相手どり、ケイト・ショパン『目覚め』、イーディス・ウォートン『歓楽の家』、トニ・モリスン『ビラヴド』をはじめとする小説作品を論じている。本書が明らかにしようとするのは、従来の「崇高」概念の背後にひそむ深刻なミソジニーであり、その先でめざされるのは、そうした「男性的な崇高」を超克するものとしての「女性的な崇高」をめぐる理論構築である。

36

David Nye, *American Technological Sublime*, Cambridge, Mass: The MIT Press, 1996（デイヴィッド・ナイ『アメリカの技術的崇高』）

アメリカ合衆国における「崇高」の諸相を論じた社会史的な研究書。本書の序文によれば、この書物の登場以前にも、「アメリカの崇高（American Sublime）」という術語は複数の研究書において用いられてきたという。アメリカの科学技術史を専門とするデイヴィッド・ナイ（一九四六―）は本書において、そうした「アメリカの崇高」をめぐる過去の思想や文献にも適宜目配りをしつつ、それをダムや発電施設のような実用的建造物に即して論じている。前世紀を通して、崇高なるものが「自然」から「人工物」へとその対象を移していったことは本文でもふれた通りだが、とりわけ芸術以外の巨大な建造物をめぐっては、このナイの仕事がいまなお参照に値する。さらに現代的な問題を扱ったものとしては、同著者の最新著『七つの崇高』（*Seven Sublimes*, Cambridge, Mass: The MIT Press, 2022）をあわせて参照のこと。

37

Andrew Ashfield and Peter de Bolla (eds.), *The Sublime: A Reader in British Eighteenth-Century Aesthetic Theory*, Cambridge: Cambridge University Press, 1996（アシュフィールド＋デュボラ編『崇高——イギリスの一八世紀美学理論』）

一八世紀イギリスの美学理論を集成した有益なアンソロジー。アディソン、ヒューム、アダム・スミスといった大物から、現在ではほとんど顧みられない著者にいたるまで、一八世紀イギリスの美学理論、とりわけ崇高論について調査するうえで目を通しておくべきテクストが網羅的に収録されている。本書の構成は「1　ロンギノスの伝統」「2　ラプソディからレトリックへ」「3　アイルランドの視線」「4　アバディーンの啓蒙」「5　エジンバラとグラスゴー」「6　ピクチャレスクから政治的なものへ」の全六部からなっており、類似する「リーダー（読本）」のなかでも歴史的・地理的に幅広い範囲の作品が精選されている。

38

Carolyn Korsmeyer, *Gender and Aesthetics: An Introduction*, New York: Routledge, 2004｜キャロリン・コースマイヤー『美学——ジェンダーの視点から』長野順子＋石田美紀＋伊藤政志訳、三元社、二〇〇九年

古典的な美学理論における「美と崇高」というカップリング（あるいは二項対立）には、ジェンダー論の立場からすれば批判すべき要素が数多く含まれている。バークやカントのうちに「女性は美しく、男性は崇高である」といった文言をみとめるだけでも、そのことは十分に推し量れよう。「ジェンダーと美学」をめぐる教科書として書かれたキャロリン・コースマイヤー（一九五〇―）の本書においても、この問題については一定の紙幅が割かれている。「美と崇高」のカップリングが直接的に論じられるのは第六章「不穏な快」のみだが、本書はそもそも「芸術」や「美的なもの」といったカテゴリーが暗黙のうちに何を抑圧しているのかを、その全体を通じて鮮やかに示している。

39

Frank Ankersmit, *Sublime Historical Experience*, Stanford: Stanford University Press, 2005（フランク・アンカースミット『崇高な歴史経験』）

歴史の領域において「崇高なもの」とは何だろうか。オランダの歴史家F・R・アンカースミット（一九四五―）による『崇高な歴史経験』（二〇〇五）によれば、それは通常の認識論的カテゴリーによっては把握しえない「過去」の領域を意味する。同書でも指摘されるように、時にそれは、前意識的な「トラウマ」に相当する危うい経験でもあるだろう。とはいえ、その内実は、かつてヘイドン・ホワイトらが論じたようなアウシュヴィッツの歴史的表象をめぐる議論ともまた異なる。アンカースミットによるこの「歴史的崇高」の概念については、田中純「フランク・アンカースミットの歴史経験論」（『過去に触れる』羽鳥書店、二〇一六年）もあわせて参照されたい。

40

Antoine Compagnon, *Les antimodernes: De Joseph de Maistre à Roland Barthes*, Paris: Gallimard, 2005｜アントワーヌ・コンパニョン『アンチモダン――反近代の精神史』松澤和宏監訳、名古屋大学出版会、二〇一二年

当代きってのフランス文学者として知られるアントワーヌ・コンパニョン（一九五〇―）の『アンチモダン』（二〇〇五）は、「崇高」論者を反近代の系譜に連ねるといういささか独特なアプローチをとっている。むろん、「崇高」はすぐれて近代的な概念だと考えられるのが普通だが、その超越的なもの、常軌を逸したものへの関わりにおいて、これが近代を特徴づけるいくつかの――啓蒙主義的な――理念と齟齬をきたすこともまた確かだろう。同書ではそれが、バークの『フランス革命についての省察』（一七九〇）からソレルの『暴力論』（一九〇八）までの政治的テクストを対象に論じられる。

5 | 現代思想

41

Jacques Derrida, «Economimesis», in Sylviane Agacinski et al., *Mimesis des articulations*, Paris: Aubier-Flammarion, 1975, pp. 57–93 | ジャック・デリダ『エコノミメーシス』湯浅博雄＋小森謙一郎訳、未來社、二〇〇六年

現代思想における「崇高」というテーマとの関連で、ジャック・デリダ（一九三〇－二〇〇四）の名前が挙がることはさほど多くないように思う。だが、デリダがカントを論じた数々のテクストには、今日「崇高」の問題を考えるにあたって不可欠な論点が数多く含まれている。ここに挙げる「エコノミメーシス」（一九七五）は、単行本未収録の論文でありながら、カント美学における――「自然」から「天才」への――根源的なエコノミー構造を論じた重要なものである。「美」でも「崇高」でもなく、「吐き気」というごくマイナーな情動に注目する議論の運びはいかにもデリダらしい。それ以外にカントの「崇高の分析論」に深く関わるものとしては、『絵画における真理』（全二巻、高橋允昭＋阿部宏慈訳、法政大学出版局、一九九七－九八年）に所収の「パレルゴン」も必読である。

42

Michel Deguy et al., *Du sublime*, Paris: Belin, 1988 | ドゥギーほか『崇高とは何か』梅木達郎訳、法政大学出版局、一九九九年［新装版二〇一一年］

一九八〇年代は「崇高」という概念がもっとも広く流行した時代である。とりわけ例外的だったのは、それが特定の地域や言語はもちろんのこと、哲学・文学・美術といった諸分野を横断する、きわめて広範な現象であったことだ。現代思想において「崇高」概念がもつ最大のポテンシャルのひとつは、この脱領域性にこそある。ちなみにフランスでは、『ポ・エ・ジー』や『ポエティーク』といった雑誌をおもな舞台とし、ドゥギー、ナンシー、ラクー＝ラバルトをはじめとする錚々たる面々が、それぞれの「崇高」論を世に問うことになった。一九八八年にフランスで編まれた本書『崇高とは何か』は、その理論的な成果を集めた精髄とも呼べる書物である。

43

Slavoj Žižek, *The Sublime Object of Ideology*, London: Verso, 1989｜スラヴォイ・ジジェク『イデオロギーの崇高な対象』鈴木晶訳、河出書房新社、二〇〇〇年〔河出文庫、二〇一五年〕

いまや哲学者・精神分析家として世界中に読者をもつスラヴォイ・ジジェク（一九四九―）がはじめて英語で発表した書物が、本書『イデオロギーの崇高な対象』（一九八九）である。本書において、ヘーゲル、マルクス、ラカンを基軸としつつ示されるいかにも「ジジェク的な」図式が、カントおよびヘーゲルの「崇高」概念をひとつの支えとしていたことを、ここであらためて思い起こしておきたい。本書のもとになった――ジャック＝アラン・ミレールのもとで書かれた博士論文である――『もっとも崇高なヒステリー者』を読んでも明らかだが、この時期のジジェクの仕事が、カントからヘーゲルにいたる「崇高」論を、マルクスおよびラカンと突き合わせながら発展させたものだと言うことは十分に可能である。

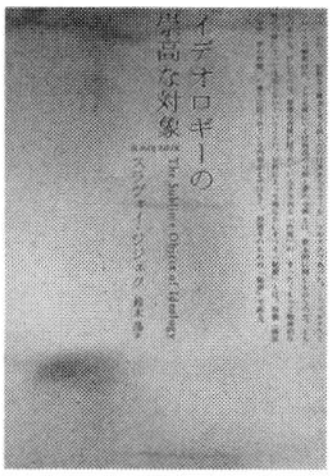

44

Philippe Lacoue-Labarthe, « Sublime » (1990), in *Encyclopædia Universalis*, Paris: Encyclopædia Universalis, 2008｜フィリップ・ラクー＝ラバルト「崇高の問題系」長谷川祐輔＋高橋駿訳、『知のトポス』第一七号、新潟大学人文学部哲学・人間学研究会、二〇二二年、三七―七三頁

フランスの哲学者であるフィリップ・ラクー＝ラバルト（一九四〇―二〇〇七）もまた、二〇世紀後半における「崇高」論の隆盛に貢献したひとりである。ラクー＝ラバルトは「崇高」のルーツであるロンギノスの議論につねに立ち戻りつつ、それをハイデガー的な「真理」の開示という問題へと接近させる。その成果がもっとも充実したかたちで披露されたのが「崇高なる真理」（『崇高とは何か』所収、梅木達郎訳、法政大学出版局、一九九九年）である。他方、同論文の濃密な議論に戸惑いをおぼえる読者には、百科事典『ユニヴェルサリス』のために執筆された「崇高の問題系」、および『経験としての詩』（谷口博史訳、未來社、一九九七年）における「崇高」と題されたパートを勧めたい。

45

Jean-François Lyotard, *Leçons sur l'Analytique du sublime: Kant, Critique de la faculté de juger, §23–29*, Paris: Galilée, 1991｜ジャン＝フランソワ・リオタール『崇高の分析論――カント『判断力批判』についての講義録』星野太訳、法政大学出版局、二〇二〇年

リオタールは、一九八〇年頃よりカントの『判断力批判』をテーマとするセミナーを複数の大学で行なっていた。そのリオタールがパリ第八大学を退官後に出版したのが本書『〈崇高の分析論〉についての講義録』（一九九一）である。そのタイトルが示す通り、本書は基本的にカントの三批判書――とりわけ『判断力批判』――についての堅実な解説書と言ってよい。その一方で、悟性・感性・理性をはじめとする諸能力の相関図を一種の「ファミリー・ロマンス」に見立てて論じるところなど、リオタールのオリジナルな議論も随処に見られる。

46

Paul de Man, *Aesthetic Ideology*, edited by Andrzej Warminski, Minneapolis: University of Minnesota Press, 1996｜ポール・ド・マン『美学イデオロギー』上野成利訳、平凡社、二〇〇五年［平凡社ライブラリー、二〇一三年］

アメリカにおける「脱構築」批評の中心人物であった文芸批評家ポール・ド・マン（一九一九–八三）は、晩年「美的なもの（the aesthetic）」の批判というプロジェクトに取り組んでいた。この野心的な計画の中心をなしていたのが、カントおよびヘーゲルにおける「崇高」の問題である。その最大の成果となるはずだった『美学、レトリック、イデオロギー』がド・マンの存命中に完成されることはなかったものの、われわれは「カントにおける現象性と物質性」や「ヘーゲルの『美学』における記号と象徴」といった代表的な論文を、没後に編纂された論文集『美学イデオロギー』（一九九六）を通じて読むことができる。

47

宇波彰『力としての現代思想――崇高から不気味なものへ』論創社、二〇〇二年［増補新版、二〇〇七年］

ドゥルーズやボードリヤールの紹介者として知られる著者・宇波彰（一九三三―二〇二一）が、「崇高」や「不気味なもの」といったさまざまなテーマについて縦横無尽に論じつくしたエセー集。「崇高」について言うと、バークやカントによるお馴染みの議論ばかりではなく、社会学やカルチュラル・スタディーズにおける周縁的な議論（たとえば「政治的崇高」や「ゴシック的崇高」）にまで広く目が配られており、それだけでも一読に値する。また、現代思想でしばしば「崇高」とセットで論じられる「不気味なもの（the uncanny）」についても一章が割かれており、この二つの概念について知見を深めたい読者にとっても有益な文献である。

48

Jacques Rancière, *Malaise dans l'esthétique*, Paris: Galilée, 2004（ジャック・ランシエール『美学における居心地の悪さ』）

現代を代表する政治哲学者のジャック・ランシエール（一九四〇―）は、二〇〇〇年頃より本格的に美学についての執筆や講演活動を開始する。なかでも、ランシエールがたびたび取りあげてきたのが、「崇高」とも縁の深い「表象不可能性」をめぐる議論であった。本書『美学における居心地の悪さ』（二〇〇四）では、クロード・ランズマンやジャン＝フランソワ・リオタールを批判するかたちで、「崇高」および「表象不可能性」をめぐる言説のもつ否定神学的な性格に警鐘が鳴らされている。その背後にあるのは、アウシュヴィッツを表象することの現実的な「困難」と、その倫理的な「禁止」の混同を戒める、きわめてアクチュアルな問題関心である。

49

Peter Szendy, *Kant chez les extraterrestres. Philosofictions cosmopolitiques*, Paris: Minuit, 2011（ペーター・ソンディ『異星の大地に立つカント——宇宙政治をめぐる哲学的フィクション』）

そもそも「崇高」という概念は、その由来となったギリシア語「ヒュプソス」の語義——「高さ」や「極み」——から考えてみても、基本的には空間的な表象を前提としていると言えるだろう。ならば、天地から解放された宇宙空間において、崇高なるものはいかなる変容をみせるのだろうか。こうした問いは、古くはマレーヴィチの芸術思想（シュプレマティスム）に見られる「宇宙」への深い関心と通底するものだと言えるだろう。かたや、ペーター・ソンディ（一九六六—）は本書『異星の大地に立つカント』（二〇一一）において、カントやシュミットにおける「コスモポリティックな（宇宙政治的な）」ものを論じながら、この大地の軛から解放された宇宙における「崇高」の可能性を——ひそかに仄めかすようなしかたで——論じている。

50

Michel Deguy, *Écologiques*, Paris: Hermann, 2012（ミシェル・ドゥギー『エコロジック』）

今年、九一歳で没したミシェル・ドゥギー（一九三〇—二〇二二）は、二〇世紀におけるロンギノスの再評価にもっとも貢献した作家のひとりである。まとまった文章としては論文「大—言」（『崇高とは何か』所収、梅木達郎訳、法政大学出版局、一九九九年）があるのみだが、みずから編集を務める雑誌『ポ・エ・ジー』にたびたび「崇高」にまつわる論文を掲載するなど、その多方面にわたる功績ははかりしれない。本書『エコロジック』（二〇一二）でも明言されているように、ドゥギーにとって「崇高」とは、高みをめざして上昇するものが落下へと転じる特異な「ポイント」にほかならない。その上昇から下降へと至る運動の形象に託しつつ、ドゥギーはこれを「放物線状の」超越とよぶ。

［初出一覧］

序論　書き下ろし

崇高をめぐる5つの対話

対談1　池田剛介によるインタビューシリーズ「芸術論の新たな転回」01星野太、「それでもなお、レトリックを──星野太『崇高の修辞学』をめぐって［1─3］」、『REALKYOTO』、二〇一七年五月九日公開。https://realkyoto.jp/article/inteview-by-ikeda-kosuke01_1/（二〇二二年一一月一三日最終確認）

対談2　トークイベント「星野太『崇高の修辞学』（月曜社）刊行記念トーク「ロゴスとアイステーシス──美と崇高の系譜学」星野太×岡本源太」（司会：櫻井拓、主催・企画：MEDIA SHOP・櫻井拓）、二〇一七年五月二〇日、会場：MEDIA SHOP | gallery を本書用に編集・構成。

対談3　トークイベント「星野太『崇高の修辞学』（月曜社）刊行記念トーク「美学的崇高 vs. 修辞学的崇高？──崇高における像と言語」星野太×塩津青夏」（司会：副田一穂、主催：NADiff 愛知、企画協力：山下幸司・副田一穂）、二〇一七年四月二三日、会場：NADiff 愛知を本書用に編集・構成。

対談4　「超越性、文体、メディウム」［対談］星野太×佐藤雄一、『現代詩手帖』二〇一八年三月号。

対談5　「松浦寿輝×星野太対談　酷薄な系譜としての〝修辞学的崇高〟──『崇高の修辞学』（月曜社）刊行を機に」、『週刊読書人』二〇一七年五月一二日、第三一八九号。

崇高をめぐる50のブックガイド　書き下ろし

おわりに

本書の構想は二〇二〇年にさかのぼる。はじめは、『崇高の修辞学』（月曜社、二〇一七年）の刊行後に収録した五つの対談に加え、これまで書いてきた「崇高」をめぐる文章を併録することで、「現代崇高入門」のような本をつくれないだろうか、という思惑があった。それからまもなく、『美学のプラクティス』（水声社、二〇二一年）にそれら既発表論文の大半を収録することが決まり、これによって本書はあくまで対談を中心に据えることとなった。

その結果できあがった本書は、この企画を終始見事な手腕で導いてくれた、フィルムアート社の藪崎今日子さんの存在なしにはありえなかった。本書の大きな特徴である長大な——いくぶん破格とも言える——ブックガイドは、藪崎さんとの初回の打ち合わせのさいに思いついたものである。たしか、もう打ち合わせも終わろうとするとき、何かのはずみで、薮崎さんがはじめて編集を手がけた本に話がおよんだ。それが原雅明『音楽から解き放たれるために――21世紀のサウンド・リサイクル』（二〇〇九年）であったことに着想を得て、本書のブックガイドを、音楽における「ディスクガイド」のようなものとして読者に届けるということに思い至ったのだ。

自分が中高生であったころを振り返ってみると、当時は何につけても「ガイド」が必要な時代であったように思う。マスターピースとされる音楽も、映画も、小説も、今のように手軽に――かつ、ほぼ無尽蔵に――アクセスできるという状況ではまったくなかった。そうした大きな制約があるなかで、ある特定のジャンルに精通した人たちが手がける「ガイド本」の類いは、しばしば実際の作品以上に大きな影響力をもっていた。たとえその音源を実際に聴いたことがなくとも、ニューウェーヴやポストパンクの主要なレコードは、ジャケット写真入りのディスクガイドのおかげで、だいたいは頭の中に入っていたものだ。

学問についても、それは例外ではなかった。よくよく考えてみると、いまだ門前にいる二〇歳そこそこの人間にとって、ある学知への入口がいきなり原典や研究書であることはほとんどない。おそらく大半の若者にとって、雑誌などに掲載された――いまならウェブで読めるような――対談やブックガイドこそが、その対象への手引きをしていたはずなのだ。それなら「入門書」があるではないか、と言われるかもしれない。だが、入門書を手にとる読者は、すでにその対象・分野に一定の関心をもっていることが常である。それに対し、より雑多な話題からなる対談やブックガイドは、入門書を手にとる読者とはまた異なる、来たるべき読者をその世界に導き入れるためのもうひとつの入口であるとわたしは思う。

対談集という性格もあり、本書の執筆にあたっては、いつにも増して多くの方々のお世話になった。何よりも、かつて筆者との対談に応じてくださり、本書への採録（再録）をみとめてくださった、池田剛介さん、岡本源太さん、塩津青夏さん、佐藤雄一さん、松浦寿輝さんに感謝したい。また、本書が初出となる二つの対談の司会を務めてくださった櫻井拓さん、副田一穂さんをはじめ、東京・愛知・京都の各地で対談を企画してくださった方々にも厚く感謝申し上げたい。

対談の欄外を飾る充実した註は、乙幡亮さん（東京大学大学院総合文化研究科博士課程）の執筆によるものである。対談にこれだけの数の註をつけるという試みは、乙幡さんの協力なしにはありえなかった。また、中山義達さん（東京大学大学院総合文化研究科博士課程）には序論とブックガイドの原稿に目を通してもらい、それぞれ有益なコメントをいただいた。本書の執筆期間中、わたしの研究室のリサーチ・アシスタントとして力を貸してくれた、お二人の貢献に感謝したい。

本書の装幀を、『崇高の修辞学』に続き木村稔将さんに手がけていただけたことは望外の喜びである。木村さんは本書の意図を汲んでくださり、序論・対話・ブックガイドの各パートをそれぞれ相応しいかたちに整えてくれた。また、本書のカバーに作品写真を提供してくださった池田亮司さんにも御礼を申し上げたい。

すでに書いたように、本書を無事に上梓することができたのは、ひとえに編集を担当してくださった薮崎今日子さんのおかげである。最初のメールでのやりとりから校了にいたるまで、本書は、薮崎さんの驚異的なお仕事ぶりなくしてはありえなかった。心より御礼を申し上げる。

二〇二二年一一月一一日

星野　太

星野太（ほしの・ふとし）

一九八三年生まれ。東京大学大学院総合文化研究科博士課程修了。現在、東京大学大学院総合文化研究科准教授。専攻は美学、表象文化論。主な著書に、『崇高の修辞学』（月曜社、二〇一七年）、『美学のプラクティス』（水声社、二〇二一年）。主な訳書に、ジャン＝フランソワ・リオタール『崇高の分析論――カント『判断力批判』についての講義録』（法政大学出版局、二〇二〇年）などがある。

崇高のリミナリティ

2022年12月24日 初版発行

［著者］
星野 太

［デザイン］
木村稔将

［編集］
薮崎今日子（フィルムアート社）

［発行者］
上原哲郎

［発行所］
株式会社フィルムアート社
〒150-0022
東京都渋谷区恵比寿南1丁目20番6号
第21荒井ビル
TEL 03-5725-2001
FAX 03-5725-2626
http://www.filmart.co.jp

［印刷・製本］
シナノ印刷株式会社

ISBN978-4-8459-2035-8　C0010